LE CHEVALIER NOIR

SCÉNARIO : TOT
DESSIN : ANCESTRAL Z, BRUNOWARO, MOJOJOJO

CHAPITRE 1
ISSERING LE BRICOLEUR

LA TOUR NOIRE DU COMTE SAVERNE.
JE ME DEMANDE BIEN CE QU'ILS ONT TOUS CES DINGUES, À S'INSTALLER DANS DES ENDROITS PAREILS...
FLAP FLAP
J'PEUX PAS CROIRE QU'ILS AIMENT ÇA... ÇA DOIT ÊTRE POUR L'IMAGE.
SI ENCORE ILS S'INSTALLAIENT DANS DES ENDROITS PLUS LUMINEUX, ÇA JOUERAIT MOINS SUR MON MORAL.
MAIS NON, FAUT QUE CE SOIT LUGUBRE, SOMBRE ET PUANT !

CHHHHHHHHHH
HEUREUSEMENT ...
FLAP FLAP
... RAPPORTER UN PEU DE COULEUR DANS CE MONDE DE MERDE...
... C'EST LA MISSION D'ISSERING LE BRICOLEUR !

TÂCHONS D'EN FINIR VITE.

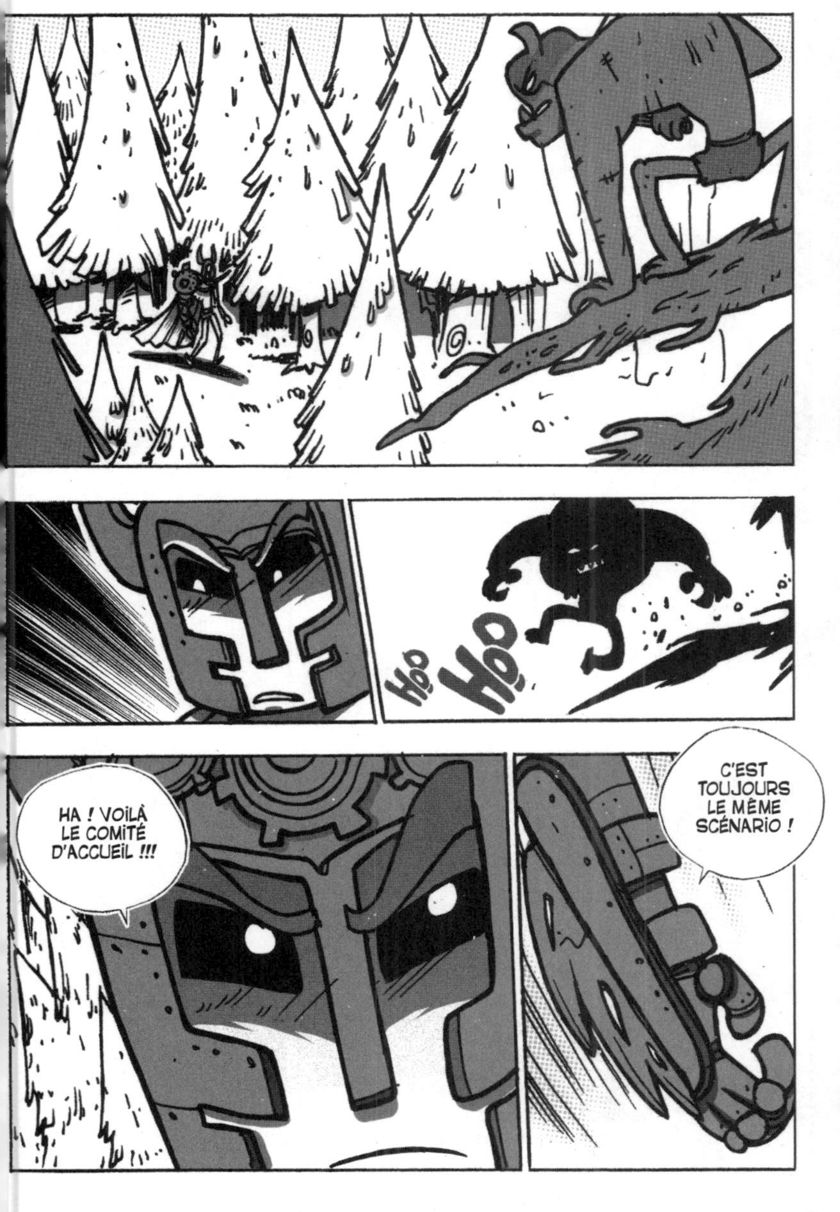
HO! HO!
HA ! VOILÀ LE COMITÉ D'ACCUEIL !!!
C'EST TOUJOURS LE MÊME SCÉNARIO !

ÇA EN DEVIENDRAIT PRESQUE LASSANT !
FSSSSSHHHHH !!
SHHHHHHHHHHHH

CCRAA-SSHH
FIACHHH
BIEN VU BRICOLEUR, TU N'AS PAS VOLÉ TA RÉPUTATION !
MAIS JE VAIS TE DONNER UN CONSEIL, ET CE SERA LE SEUL...
... FAIS MARCHE ARRIÈRE TOUT DE SUITE OU IL T'EN CUIRA. TU N'ES RIEN FACE AU COMTE SAVERNE !
ZOIIINNNG
CAUSE TOUJOURS ! MAINTENANT QUE J'Y SUIS, J'Y RESTE !

FAUDRAIT ÊTRE DÉBILE POUR REBROUSSER CHEMIN MAINTENANT QUE JE SUIS DEVANT CETTE GRANDE PORTE !
FlAP FlAP
D'AILLEURS, IL DOIT AVOIR QUELQUE CHOSE À COMPENSER CE COMTE SAVERNE !

SCWIIII
AU MOINS, ILS ONT LE SENS DE L'HOSPITALITÉ ICI.
...

JE T'AVAIS CONSEILLÉ DE FAIRE MARCHE ARRIÈRE. TU VAS REGRETTER DE NE PAS M'AVOIR ÉCOUTÉ.
RRR !!!
ME CASSE PAS LES BURNES S'IL TE PLAÎT, ON EN A DÉJÀ PARLÉ.
GRRR
GRRR
JE NE PARTIRAI PAS D'ICI AVANT D'AVOIR PUNI LE COMTE SAVERNE !
C'EST PAS QUE J'Y TIENNE PARTICULIÈREMENT, MAIS L'ORDRE VIENT DU ROI CLUSTUS !

CLUSTUS TÊTE D'AN...
HOP
HOP
HÉ !!!
SLACH
BRRRRRRRRR
UN PEU DE RESPECT POUR LE ROI !!!
JE CROIS QU'IL EST TEMPS DE PASSER AUX CHOSES SÉRIEUSES !
SINON JE VAIS RÂTER MON RENDEZ-VOUS !
ARRRGGHHHH !

CZIIIIIIII
CZIIIIIIII
SHHHHHHH
JE SAIS QUE TU N'ES PAS MORT PETITE FOUINE.
GRIIIZZZ
GRIIIZZ
GRIIIZZ
GRIIIZZZ

SORS DE TA CACHETTE ! Si TU DiSPARAiS MAiNTENANT, JE TE LAiSSE LA ViE.
JE N'AURAiS JAMAiS CRU QU'iL ViENDRAiT AUSSi FACiLEMENT À BOUT DE MES DOUBLES.
SALE PETiT HUMAiN PRÉTENTiEUX...
Si JAMAiS LE MAÎTRE VENAiT À ÊTRE DÉRANGÉ, JE LE PAiERAiS TRÈS CHER...

TU NE ME LAISSES PAS LE CHOIX BRICOLEUR.
TAC
JE VAIS ÊTRE OBLIGÉ DE LANCER UN SORT DE OUF !
BRAK- -RLL
IL ME FAIT PERDRE DIX ANS DE VIE À CHAQUE FOIS QUE JE L'UTILISE MAIS ME REND SURPUISSANT !

ZIIII
ZIIII
TU N'AS PLUS AUCUNE CHANCE DE T'EN SORTIR...
QUAND TU DIS AUCUNE, C'EST GENRE QUOI ? UNE CHANCE SUR DIX ? SUR CENT ?
CZI-IIIIII
ABSOLUMENT AUCUNE ! HAHAHA ! ZÉRO CHANCE ! NIET ! QUE DALLE !
JE VAIS T'ÉTALER LES TRIPES SUR UNE CORDE ET QUAND ELLES SERONT SÈCHES, JE M'EN FERAI UN COLLIER !
C'EST CHARMANT...
L... LA... LA MUT... LA MUTMUT...
TCHHHH
GRAAAA
LA MUTATION A COMMENCÉ...

ÇA, POUR MUTER, ÇA MUTE !
BRRRRR
MOUAHAHAHA !!!
APPELLE-MOI DIABLOTRON !
PUNAISE, TU FOUS LES BOULES COMME ÇA.
T'AS GAGNÉ, J'ME CASSE, J'AI PAS ENVIE DE VOIR MES TRIPES EN COLLIER.
QU... QUOI ?

MAIS... JE... J'AI UTILISÉ MON SORT ULTIME... JE... LE COLLIER DE TRIPES ET TOUT ÇA ?
MAIS QUEL COUILLON CE BRICOLEUR...
ME RESTE PLUS QU'À NETTOYER LE CHANTIER QU'IL A LAISSÉ.
C'EST BIEN LA PREMIÈRE FOIS QU'ON ME FAIT LE COUP..
LES HÉROS NE SONT VRAIMENT PLUS CE QU'ILS ÉTAIENT !
FRAT
FRIT
FROT

SÉRIEUSEMENT
...
WSHH WSHH
... T'Y AS CRU ?
TOI...
TU T'ES PAYÉ
MA TRONCHE...
UNE PETITE BLAGUE DE
TEMPS EN TEMPS C'EST
SYMPA POUR DÉTENDRE
L'ATMOSPHÈRE !
TU VAS LE
REGRETTER.
JE VAIS TE...
LAISSE-MOI DEVINER,
TU VAS SUSPENDRE
MES TRIPES ET
T'EN FAIRE UN COLLIER ?

NON, LÀ JE SUIS VRAIMENT MÉCHANT. JE VAIS PERDRE DIX ANS DE PLUS AVEC TES CONNERIES.
WSHH
JE VAIS T'ATTRAPER ET TE LAISSER ENTRE LES MAINS DE LA MAMA BWORK QU'ON GARDE DANS LE DONJON.
TU VAS SAVOIR CE QUE C'EST DE SOUFFRIR, CROIS-MOI !

SHHHHHHHHH
BRAK-
RUI
BIEN ESQUIVÉ, BRICOLEUR...
MAIS SOUS CETTE FORME, MA VITESSE AUGMENTE AUTANT QUE MA FORCE PHYSIQUE !
FRRRRRRR
PAF

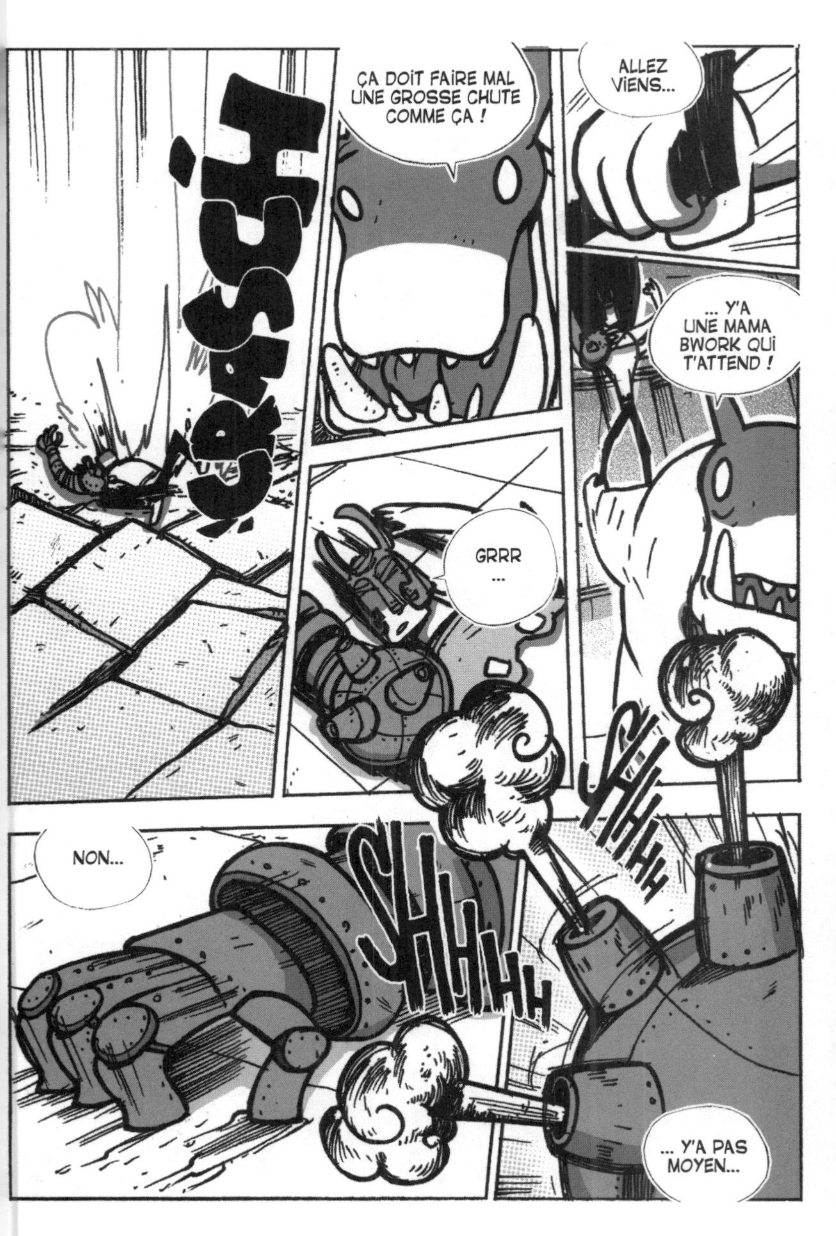
CRASSCH
ÇA DOIT FAIRE MAL UNE GROSSE CHUTE COMME ÇA !
ALLEZ VIENS...
... Y'A UNE MAMA BWORK QUI T'ATTEND !
GRRR ...
SHHHHH
NON...
SHHHHHH
... Y'A PAS MOYEN...

... PAS LÀ MAMA BWORK !
SLIK
QU'EST-CE QUI SE PASSE, J'ARRIVE PLUS À LE TIRER !
SHIIIIK
QU'EST-CE QU'IL Y A ? TU CHERCHES À TE FAIRE ÉCARTELER OU QUOI ?
GNiii...
S'IL N'Y A QUE ÇA POUR TE FAIRE PLAISIR...
JE PEUX PEUT-ÊTRE TE FILER UN COUP DE MAIN !

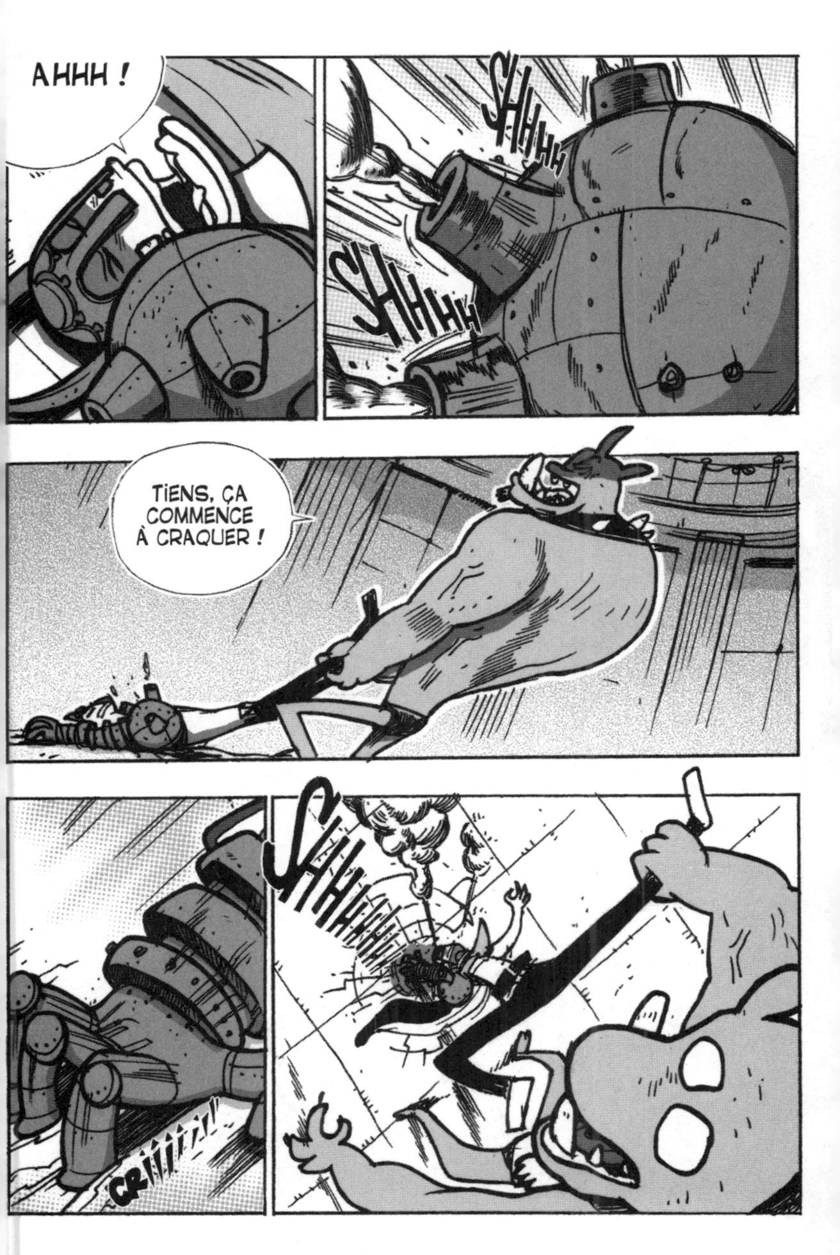
AHHH !
SHHHHH
SHHHHH
TIENS, ÇA COMMENCE À CRAQUER !
SHHHHHH
CRIIIIIII!

RAA

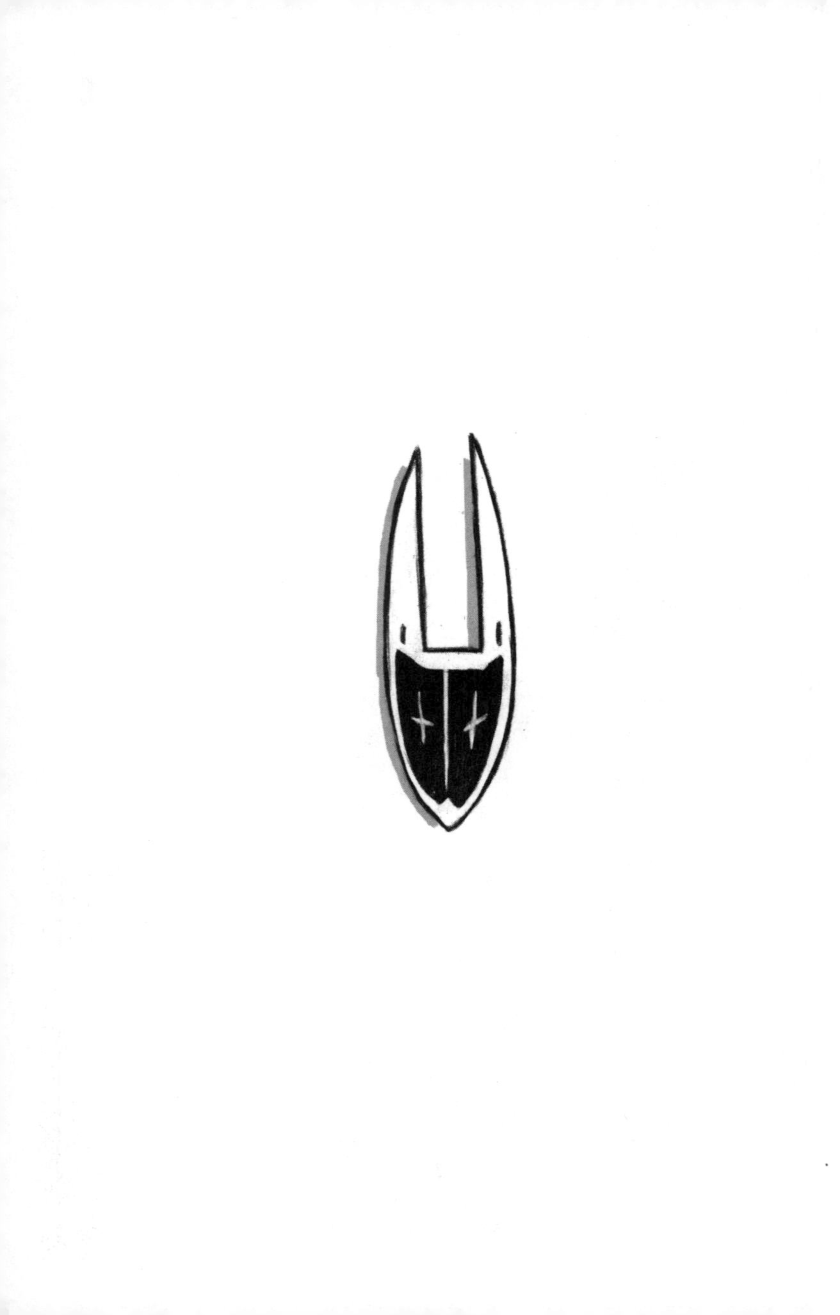

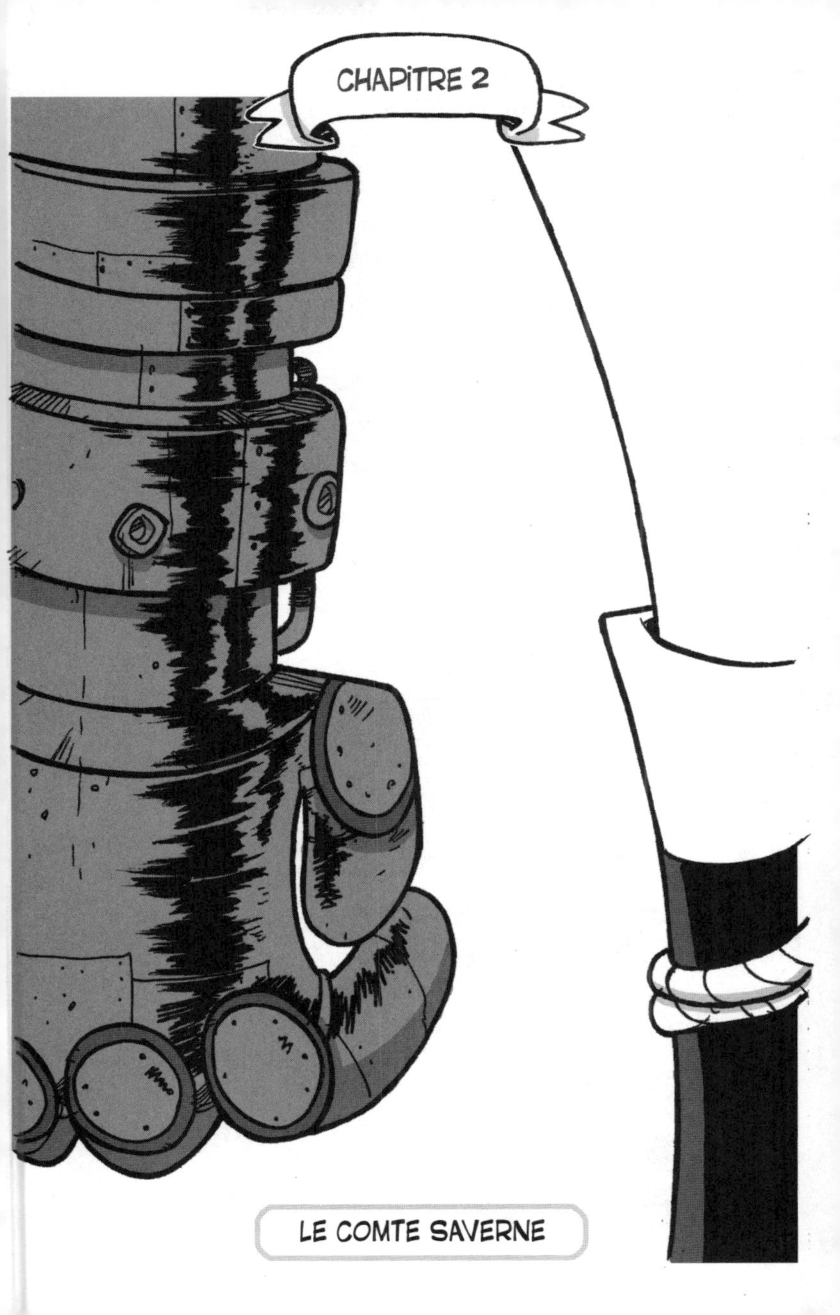
CHAPITRE 2
LE COMTE SAVERNE

BRRRR
RRR!!!
FLL!

À MON TOUR DE M'EN PAYER UNE TRANCHE !
BRAAAK-RRLLL

PAFFFFFF

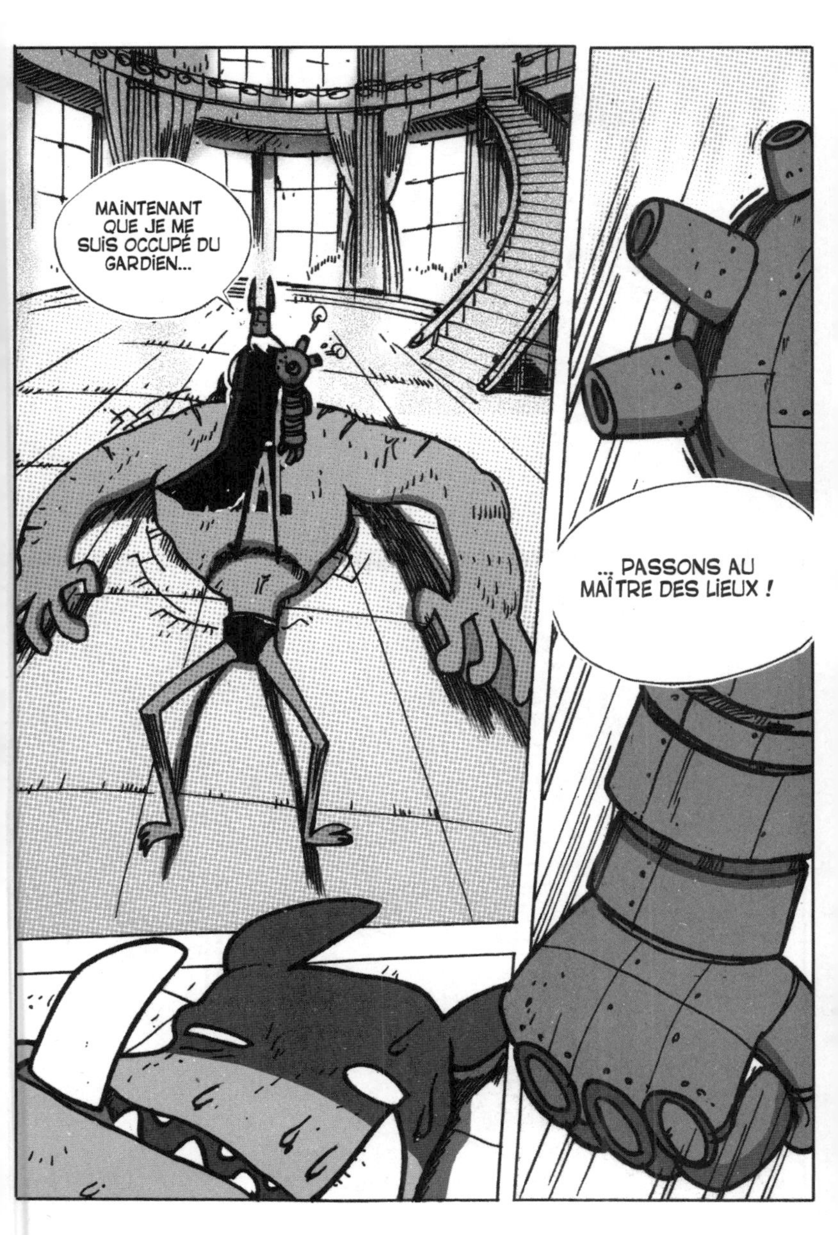
MAINTENANT QUE JE ME SUIS OCCUPÉ DU GARDIEN...
... PASSONS AU MAÎTRE DES LIEUX !

JE SUPPOSE QU'IL A MIS SON LABORATOIRE DE SAVANT FOU EN HAUT DE LA TOUR ?
JE NE PARLERAI QU'EN PRÉSENCE DE MON INVOCATEUR !
ET SI JE TE PLANTAIS MON BRAS MÉCANIQUE DANS LE DERCHE, ÇA TE DÉLIERAIT LA LANGUE ?
TU...
... TU FERAIS ÇA GRATUITEMENT ?
TU ME DÉGOÛTES, J'OSE MÊME PAS IMAGINER CE QUE TU FAISAIS AVEC TES DOUBLES !
JE VAIS ME DÉBROUILLER SANS TOI !
DÉCIDÉMENT, CET ENDROIT EST VRAIMENT MALSAIN !

LA VACHE ! ÇA N'A PAS L'AIR D'ÊTRE LA MARCHE À CÔTÉ !
JE VAIS PROFITER DU TRAJET POUR FAIRE UNE PETITE SIESTE.
CRiii
CRiii
CRiii
CRiii
CRiii
iL SUFFiT QUE JE METTE MON BRAS EN MONTAGE D'ESCALiER AUTOMATiQUE !
Brrr

ZZZZZ
ZZROFT...
ZZ... NON... ZZZ PAS TOUTES LES TROIS EN MÊME TEMPS... ZZ
BZZ
... ZZ... JE NE SUIS QU'UN HOMME.
BIP
HEIN... QUOI ? NON, C'EST PAS CE QUE TU CROIS MON AMOUR... JE...

HA... D'ACCORD !
ON EST ARRIVÉ !
PAS DE DOUTE POSSIBLE, ON EST BIEN CHEZ LE COMTE SAVERNE !
COMTE SAVERNE
SYMPA SA PETITE DÉCO !
COMTE SAVERNE ! RENDEZ-VOUS IMMÉDIATEMENT !
BRRRRRRR

ET DITES-MOI QUI VOUS A FAIT CE MIGNON PETIT ÉCRITEAU, QUE JE PUISSE COMMANDER LE MÊME !
JAMAIS !
JAMAIS TU N'AURAS LE NOM DE MON ÉBÉNISTE, MÉCRÉANT !
PLUTÔT MOURIR QUE DE VOIR TOUS LES PAYSANS DU COIN AVOIR LA MÊME DÉCORATION D'INTÉRIEUR QUE MOI !
JE SUIS LE COMTE SAVERNE ET TOUT EN MOI EST UNIQUE !

MAIS TOI,
QUI ES-TU ?
JE SUIS LE CHEVALIER ISSERING ! MISSIONNÉ PAR LE ROI CLUSTUS POUR VOUS PUNIR !
CAR NOUS SAVONS DE SOURCE SÛRE QUE VOUS FAITES DU MAL AUX VILLAGEOIS !
DU MAL ?
HA-HAHA
HA HA HA HA

AHAHAHAHAHAH
LAISSE-MOI RIRE !
C'EST CE QUE JE FAIS, PRÉVENEZ-MOI QUAND VOUS AVEZ FINI !
AHAH
AHAH
AHHH... IL Y AVAIT BIEN LONGTEMPS QUE JE N'AVAIS PAS RI COMME ÇA !
DU MAL AUX VILLAGEOIS...
MAIS C'EST TOUT LE CONTRAIRE MON CHER AMI !
AH BON ?
MAIS OUI ! ET JE VAIS VOUS LES PRÉSENTER TOUT DE SUITE POUR VOUS LE PROUVER !

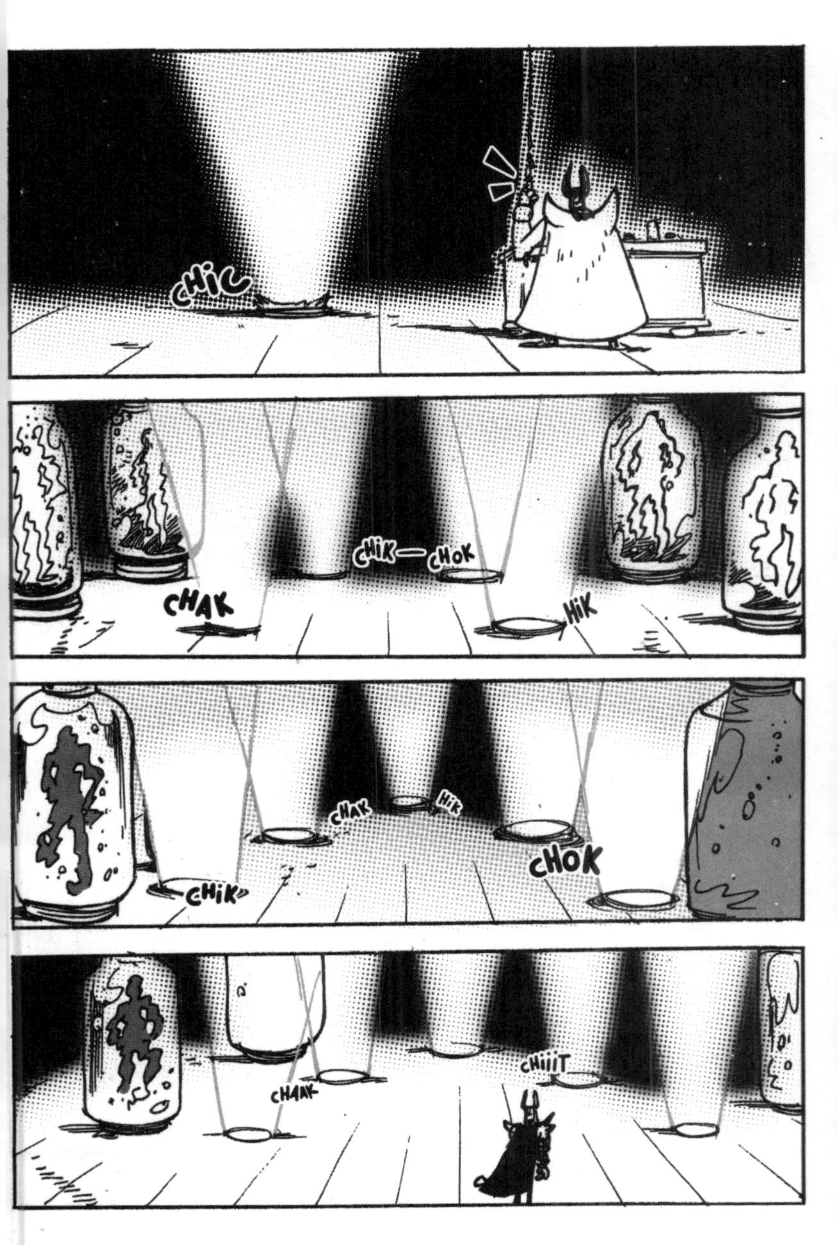
CHIC
CHIK—CHOK
CHAK
HIK
CHAK
HIK
CHOK
CHIK
CHIIIT
CHAK

QUE... QU'EST-CE QUE C'EST QUE CETTE HORREUR ?
TOUTES CES VILLAGEOISES...
... VOUS...
POUCH
VOUS LES AVEZ TUÉES...

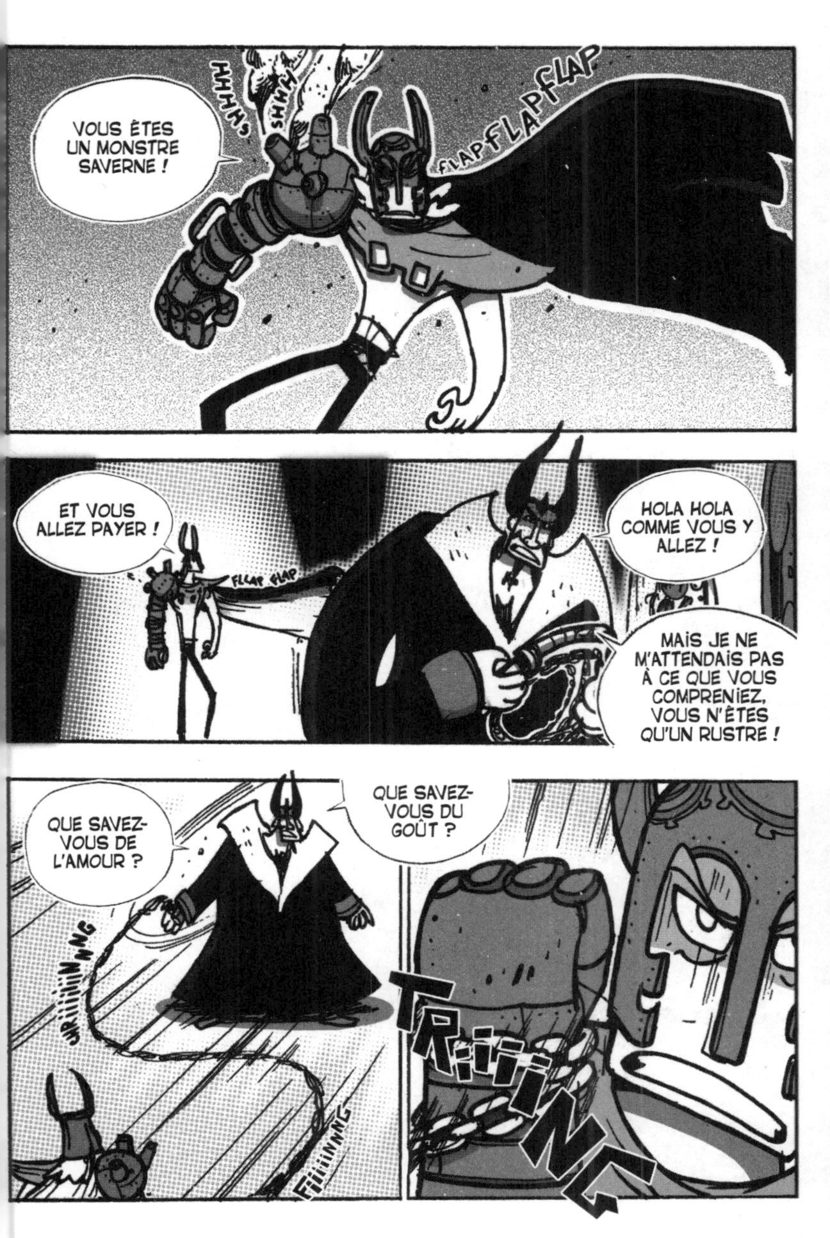
VOUS ÊTES UN MONSTRE SAVERNE !
SHHHH
SHHH
FLAP FLAP FLAP FLAP
ET VOUS ALLEZ PAYER !
FLLAP FLAP
HOLA HOLA COMME VOUS Y ALLEZ !
MAIS JE NE M'ATTENDAIS PAS À CE QUE VOUS COMPRENIEZ, VOUS N'ÊTES QU'UN RUSTRE !
QUE SAVEZ-VOUS DE L'AMOUR ?
QUE SAVEZ-VOUS DU GOÛT ?
TRIIIIING

RIEN EN FAIT ! MAIS J'AI L'HABITUDE !
SCWIIIING
LES GENS NE COMPRENNENT RIEN À MON ART !
HONNÊTEMENT...
FLLUIINNNG
... JE ME SUIS FAIT UNE RAISON.
BRRRRTTT

NON !
JOSETTE !!!
QU'EST-CE QUE J'AI FAIT ??
JOSETTE, MA PETITE JOSETTE, PARDON, J'AI VU ROUGE !
C'EST PAS GRAVE, DE TOUTE FAÇON, IL FALLAIT QUE JE CHANGE L'EAU DE TON BOCAL !
MES YEUX !
LAISSE-MOI JUSTE LE TEMPS DE RÉGLER UN PETIT TRUC !
SCHRIIING
BAF

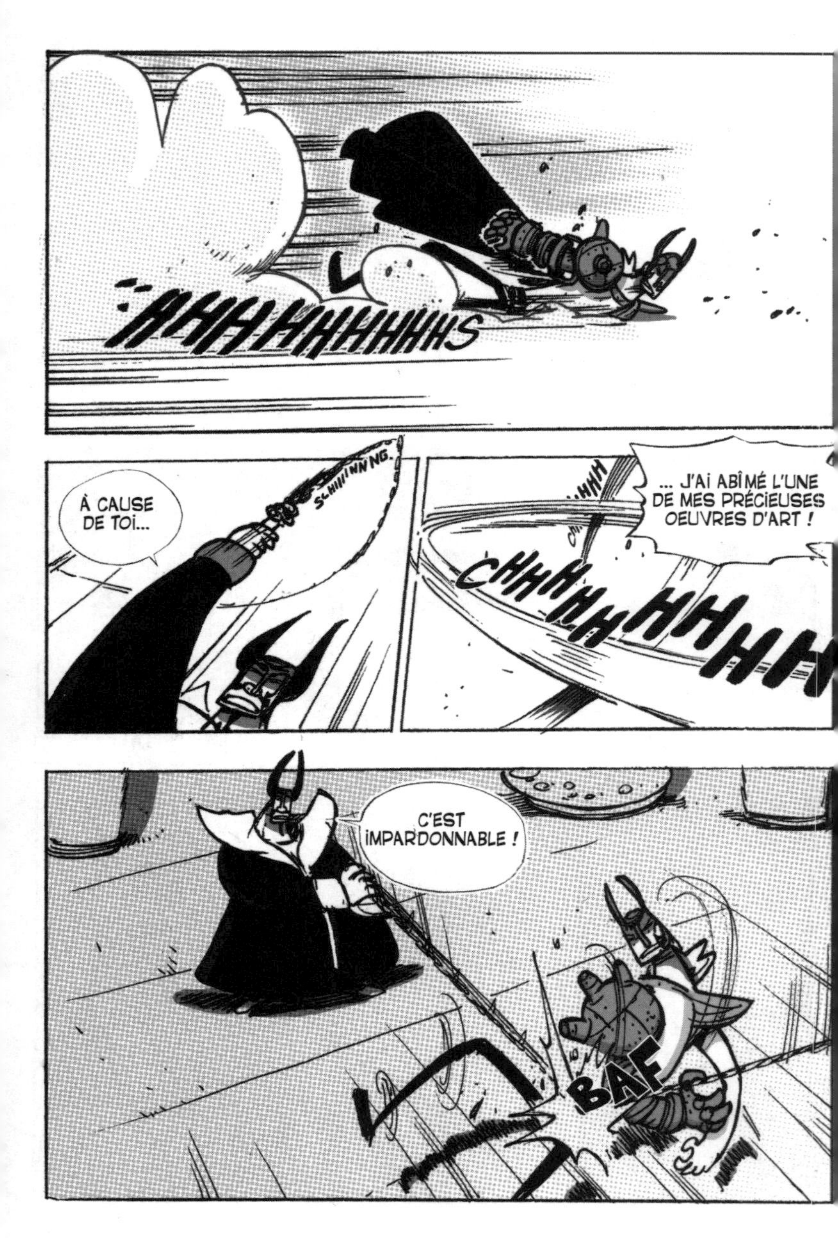
AHHHHHHHHHS
À CAUSE
DE TOI...
SCHIIIINNNG
CHHHHHHHHHHHHHH
... J'AI ABÎMÉ L'UNE
DE MES PRÉCIEUSES
OEUVRES D'ART !
C'EST
IMPARDONNABLE !
BAF

SAVERNE...
... JE COMMENCE À PERDRE PATIENCE !
ARGG
TU VAS BIENTÔT PERDRE QUELQUE CHOSE DE PLUS IMPORTANT !
SHHHHHHHHH
FLAHH

CLICK
POF
POF
POF
HOULÀ !
AAHHHHHHHHS

QUEL DRÔLE D'OBJET !
C'EST TOI QUI L'A CRÉÉ ?
SLCHHHHiii
OUi, D'OÙ MON SURNOM D'iSSERiNG LE BRiCOLEUR !
ADiEU COMTE SAVERNE !
PAWOOOD
PAF
PAF
PAF

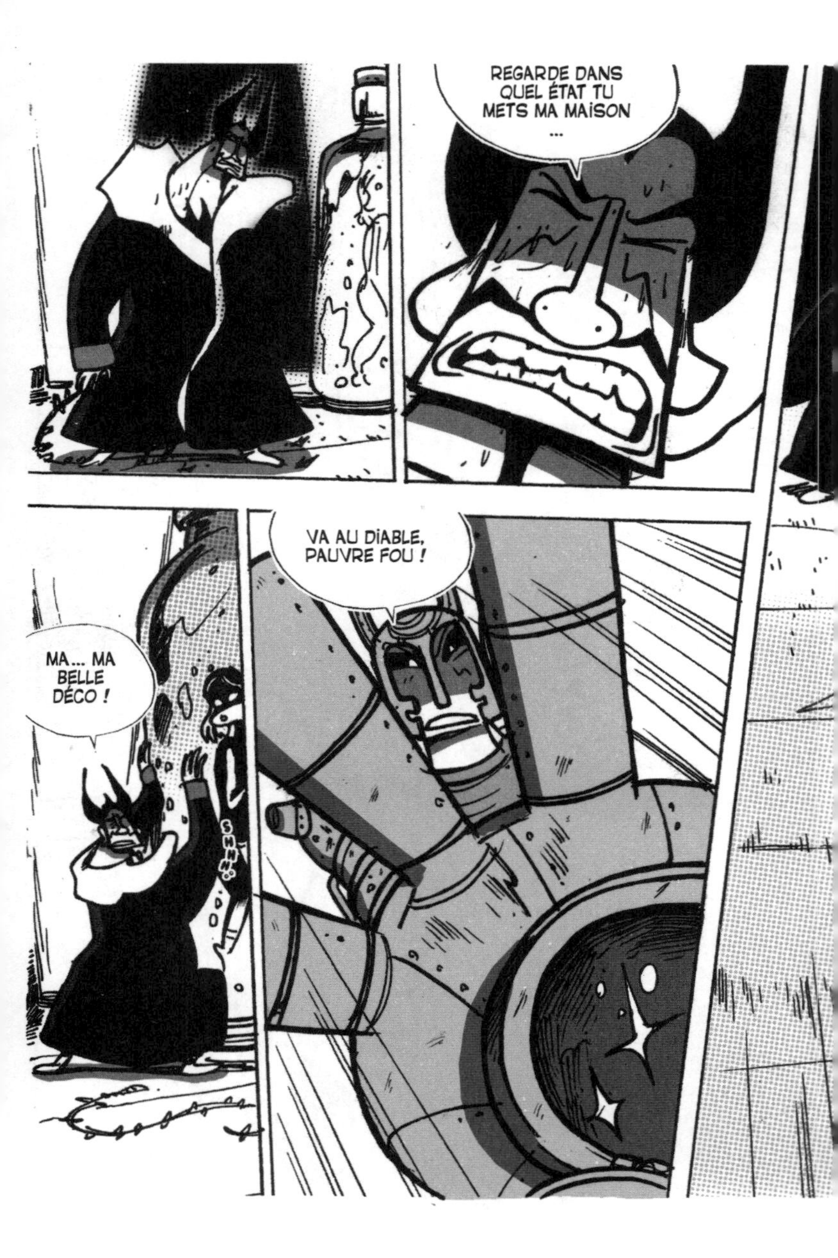
REGARDE DANS QUEL ÉTAT TU METS MA MAISON ...
MA... MA BELLE DÉCO !
VA AU DIABLE, PAUVRE FOU !
SHHH...

QUE TES VICTIMES SOIENT VENGÉES !

ARHH!
C'ÉTAIT... C'ÉTAIT PAS...
DES VICTI...
TU T'EXPLIQUERAS AVEC ELLES !

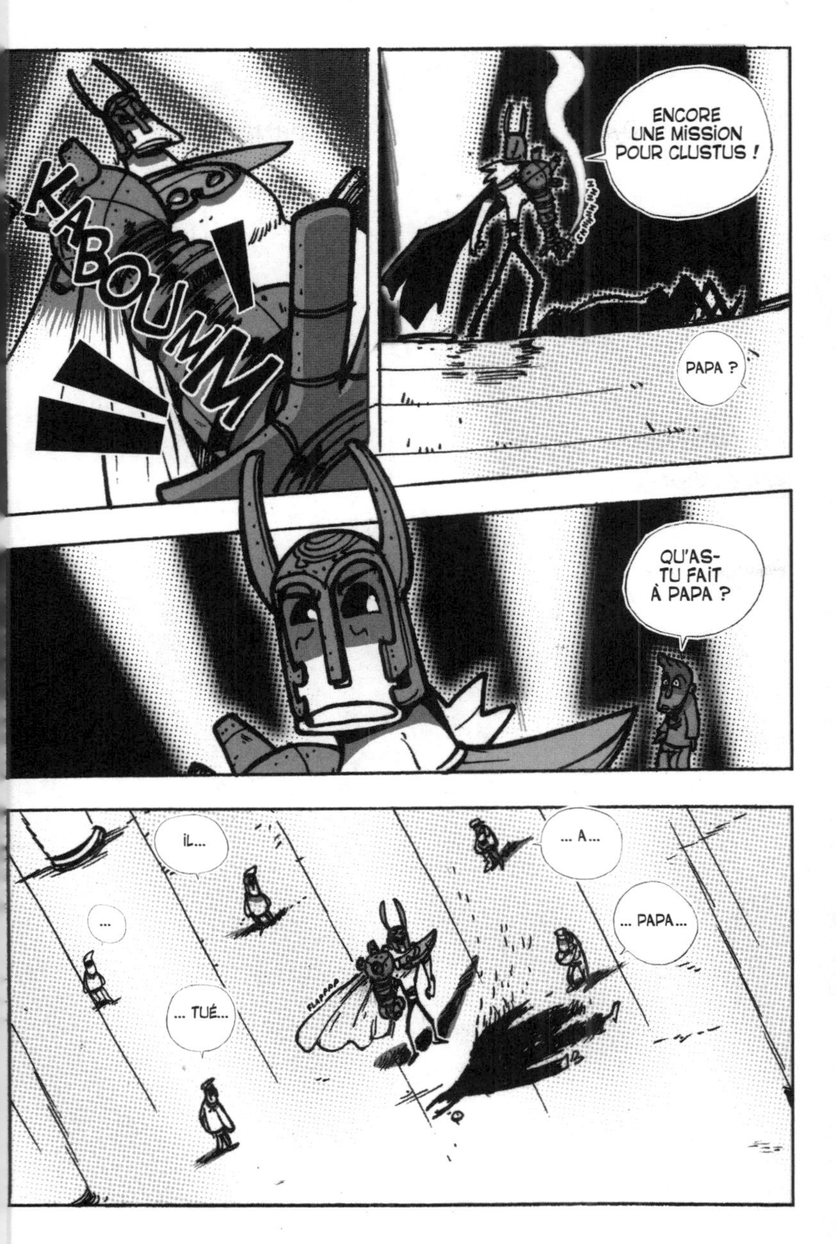
KABOUMM !
ENCORE UNE MISSION POUR CLUSTUS !
PAPA ?
QU'AS-TU FAIT À PAPA ?
IL...
... A...
...
... PAPA...
... TUÉ...

SAVERNE...
CE MONSTRE ÉTAIT VOTRE ... PÈRE ?

ET MERDE...

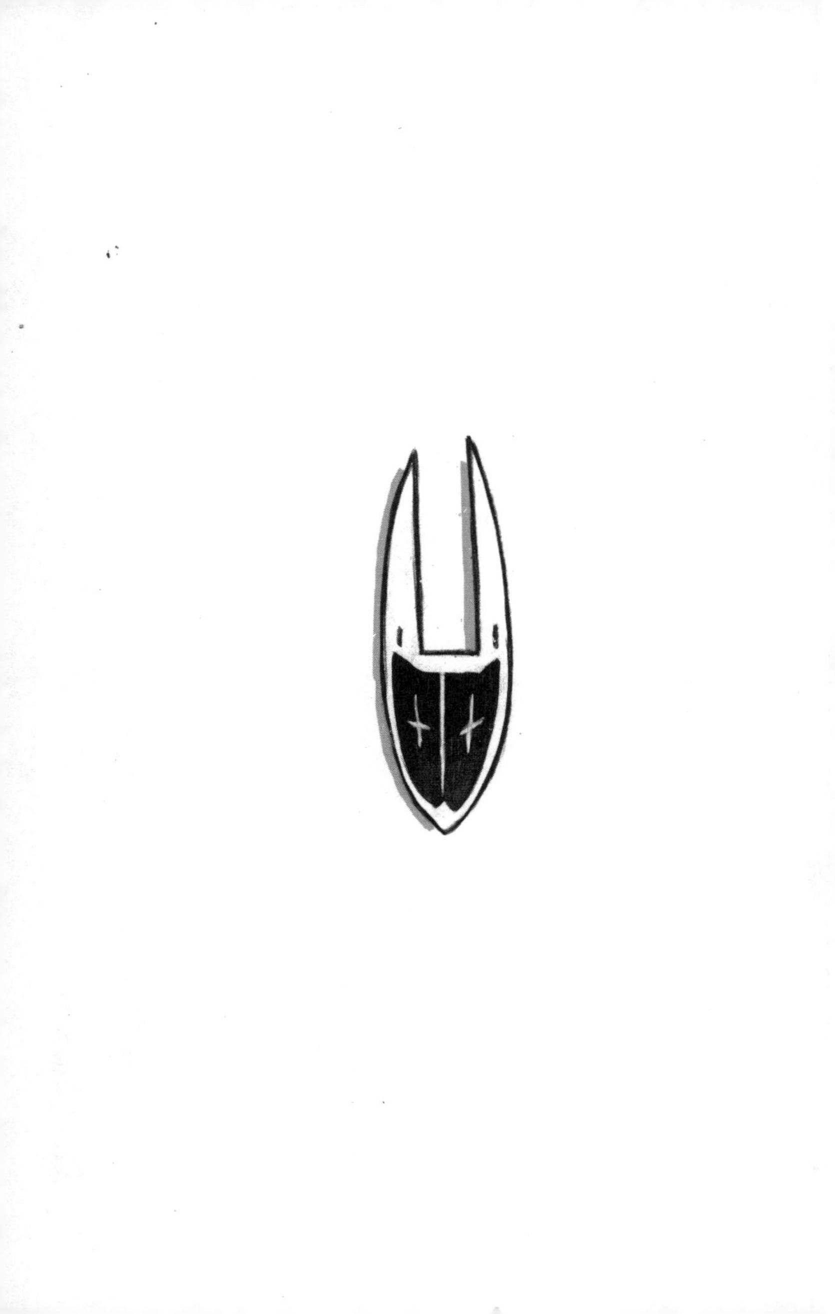

CHAPITRE 3
CINQ, ÇA SUFFIT !

TIC
TIC
TIC
TIC
CHAK
CHAK
AÏE

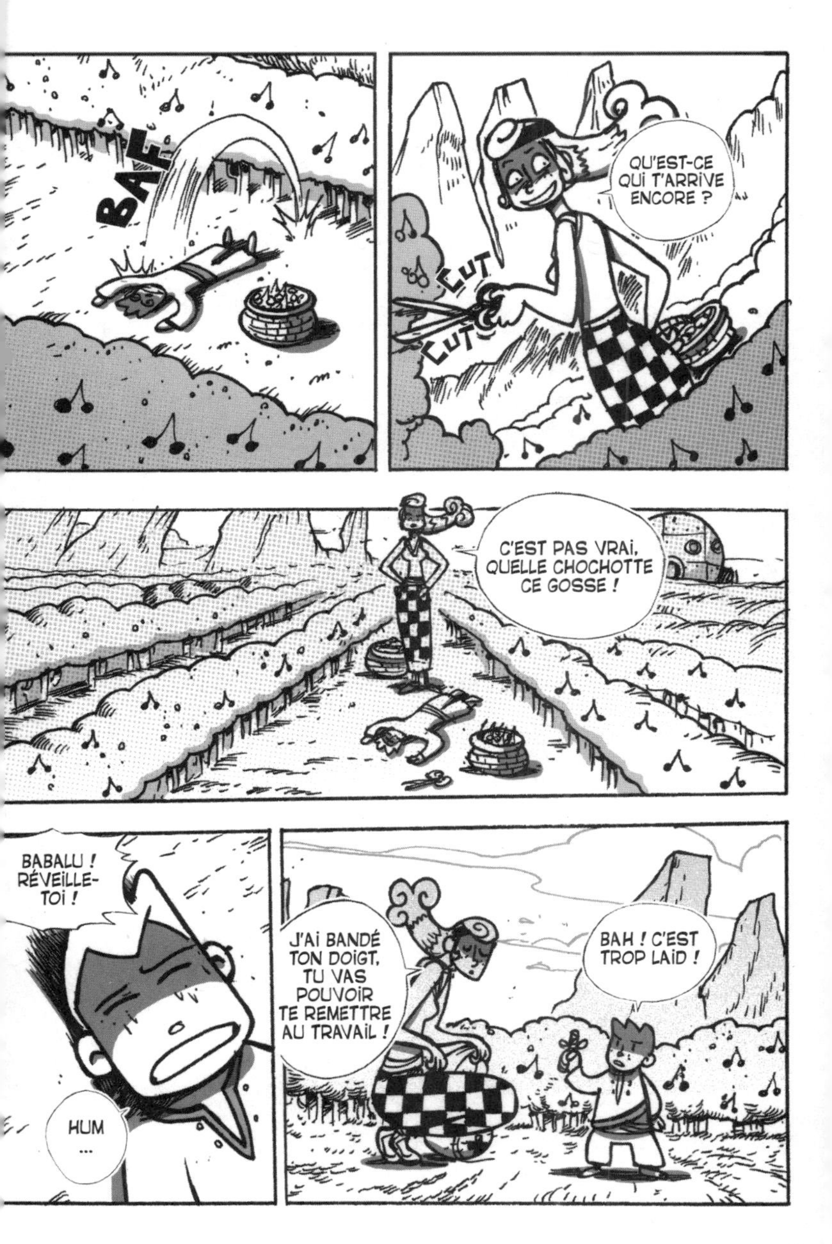
BAF
QU'EST-CE QUI T'ARRIVE ENCORE ?
CUT
CUT
C'EST PAS VRAI, QUELLE CHOCHOTTE CE GOSSE !
BABALU ! RÉVEILLE-TOI !
HUM ...
J'AI BANDÉ TON DOIGT, TU VAS POUVOIR TE REMETTRE AU TRAVAIL !
BAH ! C'EST TROP LAID !

LA PROCHAINE FOIS JE TE LAISSERAI PERDRE TOUT TON SANG, ESPÈCE D'INGRAT !
ET PUIS, IL FAUDRA QUE NOUS REPARLIONS DU CHOIX DE TA RELIGION.
JE NE CROIS PAS QUE LA DÉESSE SACRIEUR SOIT LA DIVINITÉ QUI TE CORRESPONDE LE PLUS !
TU ME DIS ÇA À CHAQUE FOIS QUE JE ME BLESSE ... T'ES MÉCHANTE !
POOO
TOUT SIMPLEMENT PARCE QUE TU T'ÉVANOUIS À LA MOINDRE GOUTTE DE SANG MON AMOUR.
ALORS QUE LES DISCIPLES SACRIEURS VOUENT LEUR VIE À LA SOUFFRANCE !
TU NE DOIS PAS CHOISIR TA CROYANCE EN TE BASANT SUR LE LOOK BABALU, MAIS SUR CE QUE TE DICTE TON COEUR !
FCHHHHHH
WWCHHHHHHH

DÉCIDÉMENT, JE NE ME LASSERAI JAMAIS D'ENTENDRE TES SERMONS MA CHÈRE LYSSE !
FCHHHHH
ISSERING !
PAPA !

JE SUIS SI HEUREUSE DE TE REVOIR !
MOI AUSSI, MAIS FAIS ATTENTION À MES CÔTES S'IL TE PLAÎT.
TAC
TU AS ENCORE RÉGLÉ SON COMPTE À UN GROS MÉCHANT ?
OUI, MAIS ON EN PARLERA PLUS TARD JE NE SUIS PAS REVEN SEUL !
QUE VEUX-TU DIRE ?
TU VAS VITE COMPRENDRE...
APPROCHEZ LES ENFANTS, N'AYEZ PAS PEUR !
SHHLLLLLvvvvv
JE VAIS VOUS PRÉSENTER À MA PETITE FAMILLE !
LYSSE, BABALU, JE VOUS PRÉSENTE ...
SHHLLLLLvvvvv

NUAGE
GOUTTE
FEUiLLE
FLAMME
... ET TÉNÈBRE !

ILS VONT VIVRE AVEC NOUS MAINTENANT !
BABALU, À PARTIR D'AUJOURD'HUI, TU PEUX LES APPELER "FRÈRES" !
ET VOUS LES ENFANTS...

... VOUS POUVEZ M'APPELER "MAMAN" !

À PARTIR DE CE MOMENT, ISSERING ET LYSSE S'OCCUPÈRENT DES QUINTUPLÉS COMME S'IL S'AGISSAIT DE LEURS PROPRES ENFANTS !
LES TALENTS DU BRICOLEUR S'ACCENTUÈRENT AVEC L'ÂGE ET IL MIT AU POINT DES ÉQUIPEMENTS MAGNIFIQUES !
CRiii
PIMP MY BRAS
LES ENFANTS GRANDIRENT, ET MÊME SI TÉNÈBRE INQUIÉTAIT PARFOIS SES PARENTS ADOPTIFS, LA JOIE ÉTAIT CHAQUE JOUR AU RENDEZ-VOUS !
C'EST PAS VRAI, IL S'EST ENCORE SERVI D'UN BOUFTOU COMME SAC DE FRAPPE !
IL APPREND LA BOXE EN CE MOMENT, IL FAUT BIEN QU'IL S'ENTRAÎNE !

ET PUIS, LORSQUE VINT L'ADOLESCENCE, ISSERING REMARQUA QUELQUE CHOSE D'ÉTRANGE CHEZ LES QUINTUPLÉS !
BZZZ
PAPA, AIDE-MOI !
J'AI LE BRAS EN FEU...
SHHHHHHHHH
NOM D'UNE PIPE, QU'EST-CE QUE TU AS ENCORE FICHU ?
SHHH
RESTE CALME, JE VAIS T'ÉTEINDRE ÇA !
FLAP

VOILÀ, C'EST PARTI AUSSI VITE QUE C'EST ARRIVÉ !
OUAIS, ÇA VA MIEUX ...
MAIS...
MONTRE-MOI UN PEU TON BRAS !
C'EST INCROYABLE, TU N'AS PAS LA MOINDRE BRÛLURE !
AH OUI ! TIENS C'EST BIZARRE !
AVEC QUOI TU T'ES BRÛLÉ ?
EUH... RIEN, C'EST VENU TOUT SEUL QUAND JE ME BATTAIS AVEC GOUTTE !
HAAAAAA !!!
RIEN QU'EN PENSANT À LUI, LA FLAMME REVIENT !
KRRRRR
SHHHHH

VIENS FILS, ALLONS DEHORS AVANT QUE TU NE METTES LE FEU À MON ATELIER ...
... LE BON CÔTÉ, C'EST QU'ON VA POUVOIR FAIRE DES ÉCONOMIES D'ALLUMETTES !
BRRG
FiiiOUUU

C'EST QUOI CE MERDIER ?
JE NE SAIS PAS !
ON DIRAIT QU'UN POUVOIR S'EST DÉCLENCHÉ CHEZ EUX EN MÊME TEMPS !
C'EST LA PREMIÈRE FOIS QUE JE VOIS ÇA !
MOI AUSSI JE VEUX UN POUVOIR !
MAIS... OÙ EST TÉNÈBRE ?
DANS LA GRANGE, ENCORE EN TRAIN DE BOXER !

SALUT FISTON !
TU AS VU CE QUI EST ARRIVÉ À TES FRÈRES !
OUI !
BAF
BAF
ET TOI ? TU AS EU LE MÊME GENRE DE MANIFESTATION ?
NON, RIEN DU TOUT !
BAF
TU NE ME CACHERAIS PAS QUELQUE CHOSE PAR HASARD ?
BAF
POURQUOI JE FERAIS ÇA ?!
TU ES MON PÈRE !

SHHHHHHHHH
ISSERING ÉTAIT TRÈS INTRIGUÉ PAR LES NOUVEAUX POUVOIRS DE SES FILS ADOPTIFS. IL SE POSAIT BEAUCOUP DE QUESTIONS.
LES SIGNES SUR LE VISAGE DES CINQ ENFANTS INDIQUAIENT QUE CES POUVOIRS ÉTAIENT LATENTS. CHACUN DES MOTIFS CORRESPONDANT À L'ÉLÉMENT MAGIQUE DE CHACUN DES QUINTUPLÉS.
LE COMTE SAVERNE S'ÉTAIT-IL SERVI D'EUX COMME COBAYE OU ÉTAIENT-ILS NÉS COMME ÇA ?
IL COMMENÇAIT MÊME À SE DIRE QUE CES GAMINS N'ÉTAIENT PAS LES ENFANTS DE L'IGNOBLE SAVERNE !
MAIS CE QUI DÉRANGEAIT LE PLUS ISSERING FINALEMENT, C'ÉTAIT QUE LUI-MÊME COMMENÇAIT À NE PLUS PENSER QU'À ÇA !
IL ENTREVOYAIT LES POSSIBILITÉS COMBATIVES DE CHAQUE ENFANT ET CE QU'ILS POURRAIENT APPORTER À LA LUTTE CONTRE LE MAL !

ET POUR LA PREMIÈRE FOIS, ISSERING SE LANÇA DANS LA CRÉATION DE GADGETS DESTINÉS À D'AUTRES PERSONNES QUE LUI-MÊME !
TAC
TAC

AINSI, IL CRÉA UNE ARME QU'IL BAPTISA "TOURMENTEUR"...
IL EN ÉTAIT TRÈS FIER MAIS ÉPROUVAIT QUELQUES SCRUPULES !

MINCE, JE PEUX PAS METTRE ÇA ENTRE LES MAINS DE MES FILS...
LYSSE NE ME LE PARDONNERAIT JAMAIS...
ON VERRA PLUS TARD !
S'ILS VEULENT DEVENIR DES GUERRIERS, IL FAUT QUE CE SOIT DE LEUR PLEIN GRÉ !
IL SEMBLAIT QUE LE DIEU DES BRICOLEURS AVAIT UN PETIT FAIBLE POUR ISSERING...

CAR QUELQUES MOIS PLUS TARD, SON SOUHAIT FUT EXAUCÉ !
PAPA, MAMAN, JE PROFITE DE CE DÉLICIEUX REPAS POUR VOUS ANNONCER QUELQUE CHOSE !
CROUNCH
HEY
MIAM
AVEC MES CINQ AUTRES FRÈRES, NOUS AVONS L'INTENTION DE NOUS INSCRIRE À UN TOURNOI DE COMBAT LIBRE ORGANISÉ PAR LE ROI !
QUOI ?
VOUS AVEZ PERDU LA TÊTE ?
C'EST HORS DE QUESTION !
ISSERING !
C'EST TOI QUI LEUR A MIS UNE IDÉE AUSSI SOTTE EN TÊTE ?

BIEN SÛR QUE NON, QUE VAS-TU IMAGINER LÀ ?
JE NE VOIS AS COMMENT AURAIENT ÉTÉ U COURANT UTREMENT !
TAC
BAH EN FAIT...
ON A TROUVÉ CETTE INVITATION DANS LE COURRIER DE LA SEMAINE DERNIÈRE !
ULTIMATE FIGHT.
C'ÉTAIT POUR PAPA, MAIS ON N'A PAS PU S'EMPÊCHER DE L'OUVRIR.
SHiii

CE N'EST PAS PARCE QUE VOTRE PÈRE A PARTICIPÉ À CES ÂNERIES QUE VOUS DEVEZ VOUS SENTIR OBLIGÉS DE FAIRE LA MÊME CHOSE !
BDOO-OOM
C'EST VIOLENT ET PUÉRIL !
TU OUBLIES QUE C'EST GRÂCE À CE TOURNOI QUE J'AI ÉTÉ REMARQUÉ PAR LE ROI...
... ET QUE J'AI PU RENTRER À SON SERVICE.
NON ! ET JE N'AI PAS OUBLIÉ NON PLUS LES MISSIONS POUR LESQUELLES TU T'ABSENTAIS PENDANT DES SEMAINES...
... POUR REVENIR BLESSÉ À MORT !
COMMENT J'AURAIS PU OUBLIER CES HEURES PASSÉE À TON CHEVET À JOUER LES ENIRIPSAS ?

ET MAINTENANT QUE TU ES À LA RETRAITE JE DEVRAIS REVIVRE LA MÊME CHOSE AVEC MES SIX FILS ?
BAF

JAMAIS !!!
BAAAAAAFFFF

QUELQUES SEMAINES PLUS TARD...

INSCRIPTION GRAND TOURNOI

ARRÊTE DE FAIRE LA TÊTE, LYSSE, NOS FILS VONT AVOIR BESOIN DE NOTRE SOUTIEN !

FOUS-MOI LA PAIX !

JE TE PROMETS QU'AVEC LES GADGETS QUE JE LEUR AI PRÉPARÉS ILS VONT S'EN SORTIR SANS UN ÉGRATIGNURE !

Y'A INTÉRÊT!
BLABLA
BLABLA
BLABLA
BLABLA
OUAH ! LE MONDE...
COMMENCE PAS À FLIPPER GOUTTE...
ON VA TOUS LES DÉBOITER !
ENTRE VOS POUVOIRS MAGIQUES ...
FSHHHH
... ET MA BOXE, LES AUTRES N'ONT AUCUNE CHANCE !
ET MOI TÉNÈBRE, TU M'AS OUBLIÉ ?
MAIS NON ! TU SERAS TRÈS BIEN POUR RAMASSER LES CORPS DES MECS QU'ON AURA LATTÉ !

TOI MON PETIT GARS, T'ES SURTOUT TROP JEUNE POUR Y ALLER !
QUOI ? MAIS C'ÉTAIT PRÉVU QUE J'Y AILLE AUSSI !!
VOUS N'ALLEZ PAS ME FAIRE ÇA AU DERNIER MOMENT !
TA MÈRE A RAISON BABALU, ET DE TOUTE FAÇON CE TOURNOI EST INTERDIT AU MOINS DE 15 ANS !
LA QUESTION NE SE POSE MÊME PAS !
C'EST PAS JUSTE !
T'EN FAIS PAS FRÉROT, ON TE RAPPORTERA DES SOUVENIRS !
L'ANNÉE PROCHAINE, ON VIENDRA À SIX !
ET VU LES GROS CORIACES QUI FONT LA QUEUE POUR S'INSCRIRE, JE ME DIS QUE FINALEMENT JE VAIS PEUT-ÊTRE RESTER AVEC TOI !

TROIS TICKETS POUR PARTICIPER AU TOURNOI !

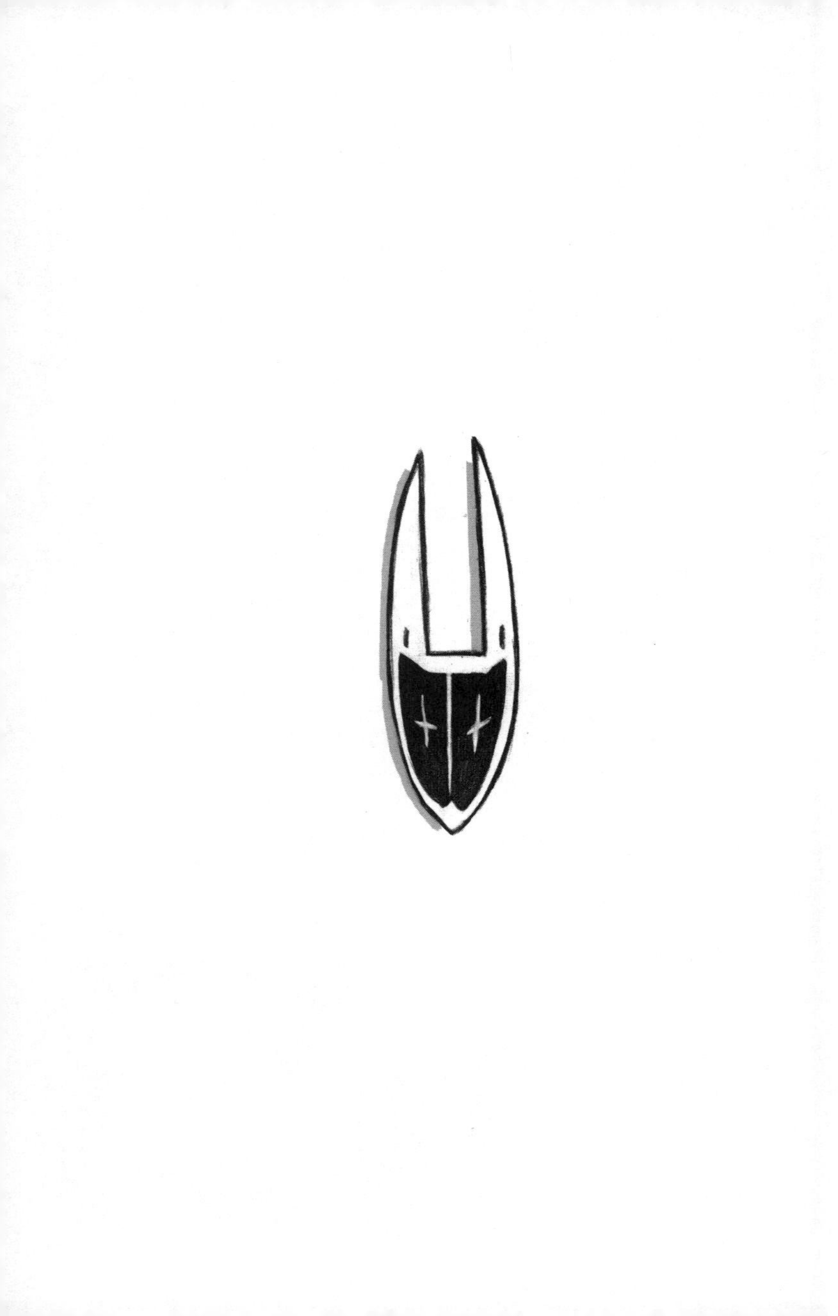

CHAPITRE 4
LE TOURNOI

LA PLUPART DES PARTICIPANTS SONT DÉJÀ DANS L'ARÈNE. IL VA FALLOIR Y ALLER !
JE VAIS VOUS PRÉPARER UNE PETITE SURPRISE POUR VOS COMBATS.
JE N'AI PAS PU VOUS EN PARLER AVAN À CAUSE DE VOTRE MÈRE
ÇA FAIT QUELQUE TEMPS QUE JE TRAVAILLE SUR UNE NOUVELLE ARME... JE L'AI BAPTISÉE "TOURMENTEUR".
SI ELLE MARCHE COMME JE L'ESPÈRE ELLE VOUS PERMETTRA DE CANALISER VOTRE ÉNERGIE ET D'ÊTRE PLUS PRÉCIS LORSQUE VOUS L'UTILISEREZ !
TAC
TRINNG
JE N'EN AI FAIT QUE QUATRE PUISQUE LE POUVOIR DE TÉNÈBRE NE S'EST PAS MANIFESTÉ !
CHIK
PAS BESOIN DE TES JOUJOUX...
CHIK
J'AI MES POINGS POUR M'EN SORTIR !

TOUS LES CONCURRENTS SONT MAINTENANT DANS L'ARÈNE, FAISONS PLACE AU DISCOURS DE NOTRE ROI POUR INAUGURER CE 52E TOURNOI DE JEUNES CHAMPIONS !
CETTE FOIS IL FAUT Y ALLER LES ENFANTS !
BONJOUR MES CHERS CONCITOYENS !
FAITES BIEN ATTENTION À VOUS !
CRIIIIIIK
C'EST PARTI POUR L'ÉCLATE !
C'EST TOUJOURS UN PLAISIR POUR MOI D'ASSISTER À CE TOURNOI !
LES PLUS VALEUREUX COMBATTANTS DE BONTA SE SONT ILLUSTRÉS ICI ET LES ANNÉES PASSANT, LE SPECTACLE NE BAISSE PAS EN QUALITÉ, BIEN AU CONTRAIRE !

VOUS ÊTES PLUS NOMBREUX ET PLUS DÉTERMINÉS À CHAQUE FOIS, POUR NOTRE PLUS GRAND PLAISIR !
JE VOUS RAPPELLE LES RÈGLES...
BIABIA
BIABIA
MAIS OUI, NE T'INQUIÈTE PAS, TOUT VA BIEN SE PASSER.
BIABIA
ILS SE SONT BIEN PRÉPARÉS ?
TOUS LES COUPS, TOUTES LES TECHNIQUES ET TOUTES LES ARMES SONT PERMIS !
LES DERNIERS COMBATTANTS DEBOUT REMPORTENT LA PARTIE !

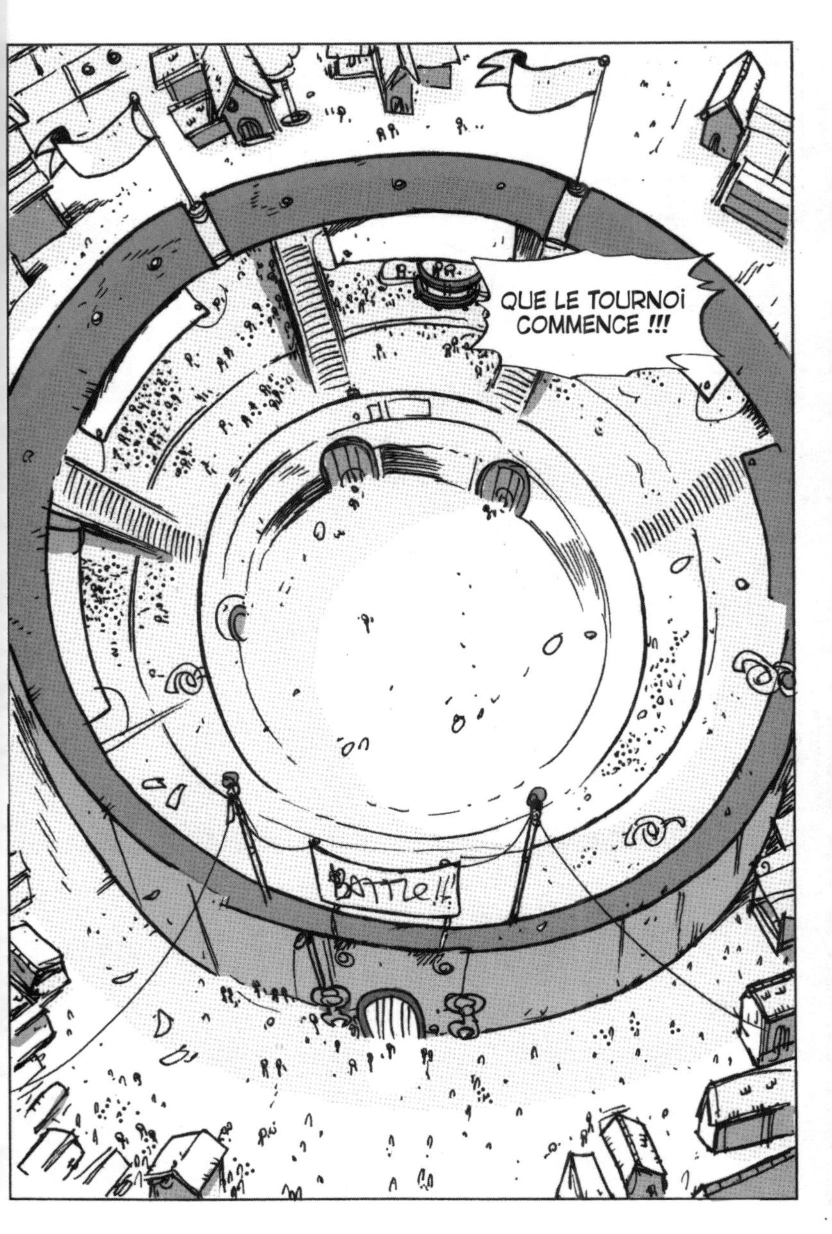
QUE LE TOURNOi COMMENCE !!!
BATTLE!!

LE TOURNOi ANNUEL DE BONTA ÉTAiT TRÈS APPRÉCiÉ DES HABiTANTS.
iL NE S'AGiSSAiT FiNALEMENT QUE DE VOiR DES JEUNES GENS SE METTRENT MÉCHAMMENT SUR LA TRONCHE, MAiS ALLEZ SAVOiR POURQUOi, ÇA FAiSAiT UN CARTON !
TOUT SE PASSAiT TOUJOURS DE LA MÊME FAÇON...
... UN PEU TiMiDES, LES COMBATTANTS POUVAiENT S'OBSERVER DES HEURES AVANT DE PASSER À L'ACTiON !
JUSQU'AU MOMENT OÙ L'UN D'ENTRE EUX DÉCiDAiT DE RENTRER DANS LE ViF DU SUJET !

FSSSHHHHHH
SCLAC
ÇA DEVENAIT DÈS LORS UN JOYEUX BORDEL !
PIIIIO
UUUU
ARRG
TAC
BAF
BAF
CHHHHHHHHHHHH

ET LÀ DEDANS, LES QUINTUPLÉS TIRAIENT PLUTÔT BIEN LEUR ÉPINGLE DU JEU !

BRAAK
SURTOUT TÉNÈBRE QUI SEMBLAIT ÊTRE COMME UN POISSO DANS L'EAU !

BOOOM
MON NEZ...
BAF

DAF
POCHHI
BAF
CES ARMES SONT MONSTRUEUSES.
TU VOIS CHÉRIE, JE T'AVAIS DIT QUE TOUT SE PASSERAIT BIEN !
J'ESPÉRAIS MÊME PAS QUE ÇA SE PASSE AUSSI BIEN !
CE SONT LES FILS D'ISSERING.
À CE RYTHME-LÀ, LE TOURNOI DE CETTE ANNÉE RISQUE D'ÊTRE LE PLUS COURT DE L'HISTOIRE !
HA ! SACRÉ ISSERING ! MÊME À LA RETRAITE, IL NE PEUT PAS S'EMPÊCHER !

TIENS VOILÀ QUI DEVRAIT DONNER UNE CONFRONTATION INTÉRESSANTE, LES FRÈRES GROUM ONT DÉCIDÉ DE S'EN PRENDRE AUX REJETONS DE NOTRE VIEIL AMI !
REGARDEZ PAR LÀ LES GARS, ON A DE LA VISITE !
OFFRONS-LEUR LA MÊME LEÇON QU'AUX AUTRES !
PAF
CZIIIII
OHOHOH !
LES FRÈRES GROUM SONT INSENSIBLES À LA MAGIE !

BOOOOOM
TOMBER SUR DES GENS INSENSIBLES À LA MAGIE, QUEL MANQUE DE BOL !
MON DIEU ...
BON, VOILÀ, C'ÉTAIT LE DERNIER...
J'ME DEMANDE OÙ ILS EN SONT LES QUATRE AUTRES...

C'EST PAS VRAI !
NUAGE
ARG
AÏIE
FLAMME
FEUILLE
MMM
GOUTTE !
VOUS N'AURIEZ JAMAIS DÛ VOUS EN PRENDRE À MES FRÈRES LES AFFREUX !
HOHOHO, LAISSE TOMBER COMMENT TU FAIS PEUR TOI !
TES QUATRE BOUFFONS DE FRANGINS N'ONT RIEN PU FAIRE...
TU CROIS PEUT-ÊTRE MIEUX T'EN SORTIR TOUT SEUL ?
KRRR
JE CROIS PAS, J'EN SUIS SÛR

PAS BESOIN DE MAGIE CONTRE DES MAUVAIS COMME VOUS !
BDMMM
LES POINGS SUFFIRONT LARGEMENT !
BlaBla
BlaBla
QUAND VOUS VOULEZ, BANDE D'ABRUTIS !
LES PETITS ENTRAÎNEMENTS DANS LA GRANGE LUI AURONT SERVI À QUELQUE CHOSE FINALEMENT !

ESPÈCE D'AVORTON, ON VA TE COUPER L'ENVIE DE TE FOUTRE DE NOUS !
WHOOOOO
BLAM

TCHAK TCHAK
ZDUNK!
SHHHHHHH
KRRR

BOMMMM
T'ES PAS DIFFÉRENT DES AUTRES !
T'AS TRAVAILLÉ TES COUPS DE POING COMME UN CRÉTIN SANS JAMAIS PENSER À TA CONDITION PHYSIQUE !
UN PETIT COUP DE GENOUX ET T'ES DÉJÀ AUX FRAISES !
NOUS, LES FRÈRES GROUM AVONS TRAVAILLÉ LES DEUX. ON SAIT METTRE DE BONS COUPS...
MAIS ON SAIT SURTOUT ENCAISSER !
VOUS ÊTES VRAIMENT TROIS GROS DÉBILES!

SWOP
Eh..
ZRUNCH
ZDAM
ZRUNC

ZBUKK
KRRR
BBOOO
WOOOOSHH

CRUCH!
BLOCK
ZPUNCH

BOOM
CHROK
stac

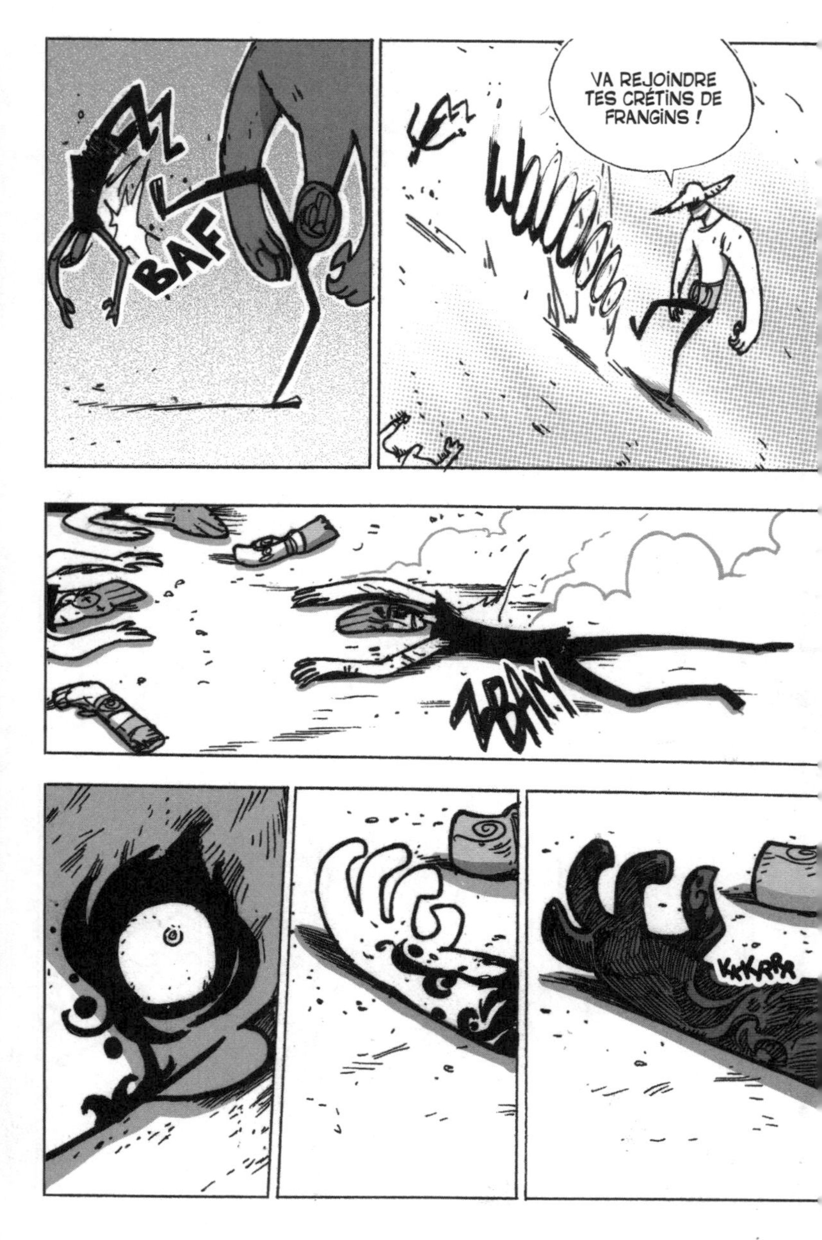
BAF
VA REJOINDRE TES CRÉTINS DE FRANGINS !
ZBAM
KKKRRR

KRRR
ON A GAGNÉ LES GARS, ON EST LES NOUVEAUX CHAMPIONS !!!
VOUS REJOUISSEZ PAS TROP VITE LES AFFREUX, C'EST PAS FINI !
ON T'A DÉJÀ EXPLIQUÉ QU'ON ÉTAIT INSENSIBLE À LA MAGIE !
KLAK
FAUT PAS CROIRE, JE SUIS DU GENRE GÊNÉ...

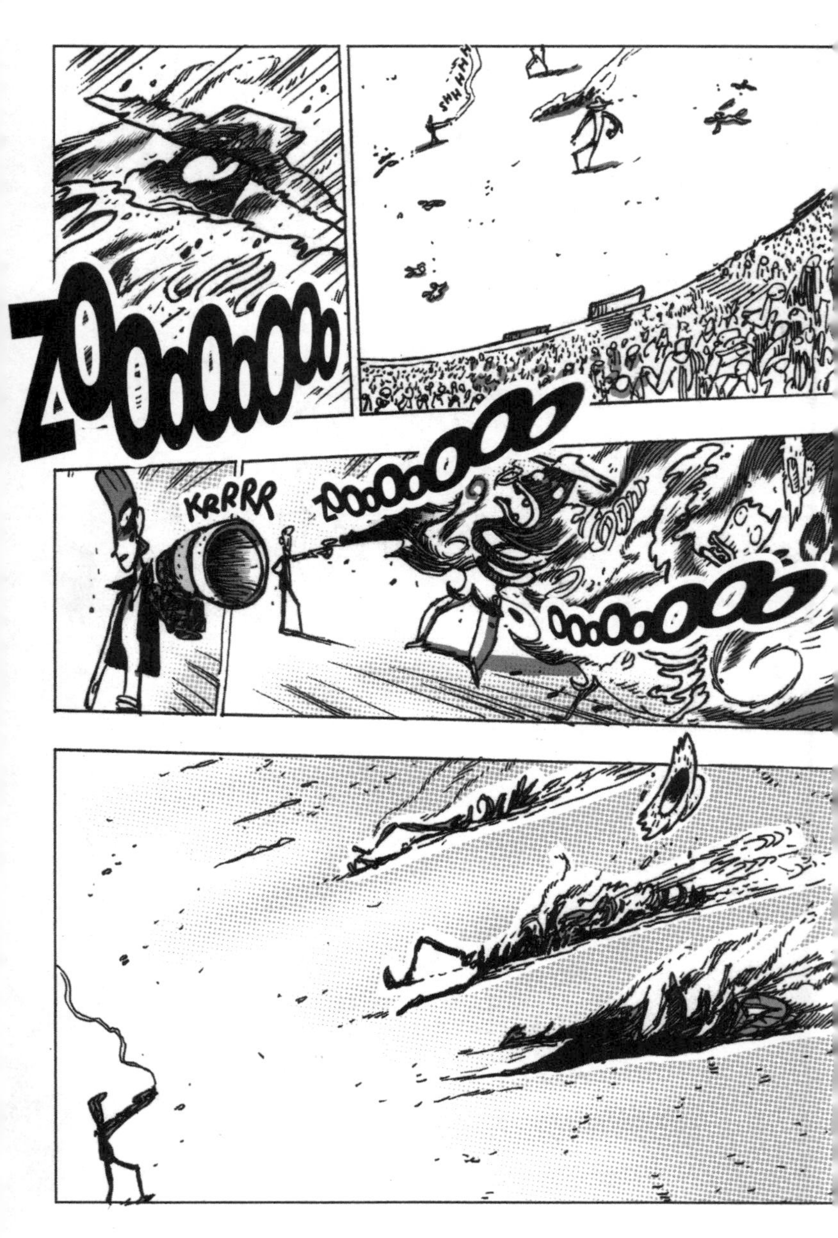
SHHHHH
ZOOOOOOOOO
KRRRR
ZOOOOOOOOOO
OOOOOOOOOO

PCHHHHHH
HHHHHH
J'Y SUIS PEUT-ÊTRE ALLÉ UN PEU FORT !
SSHHHHH

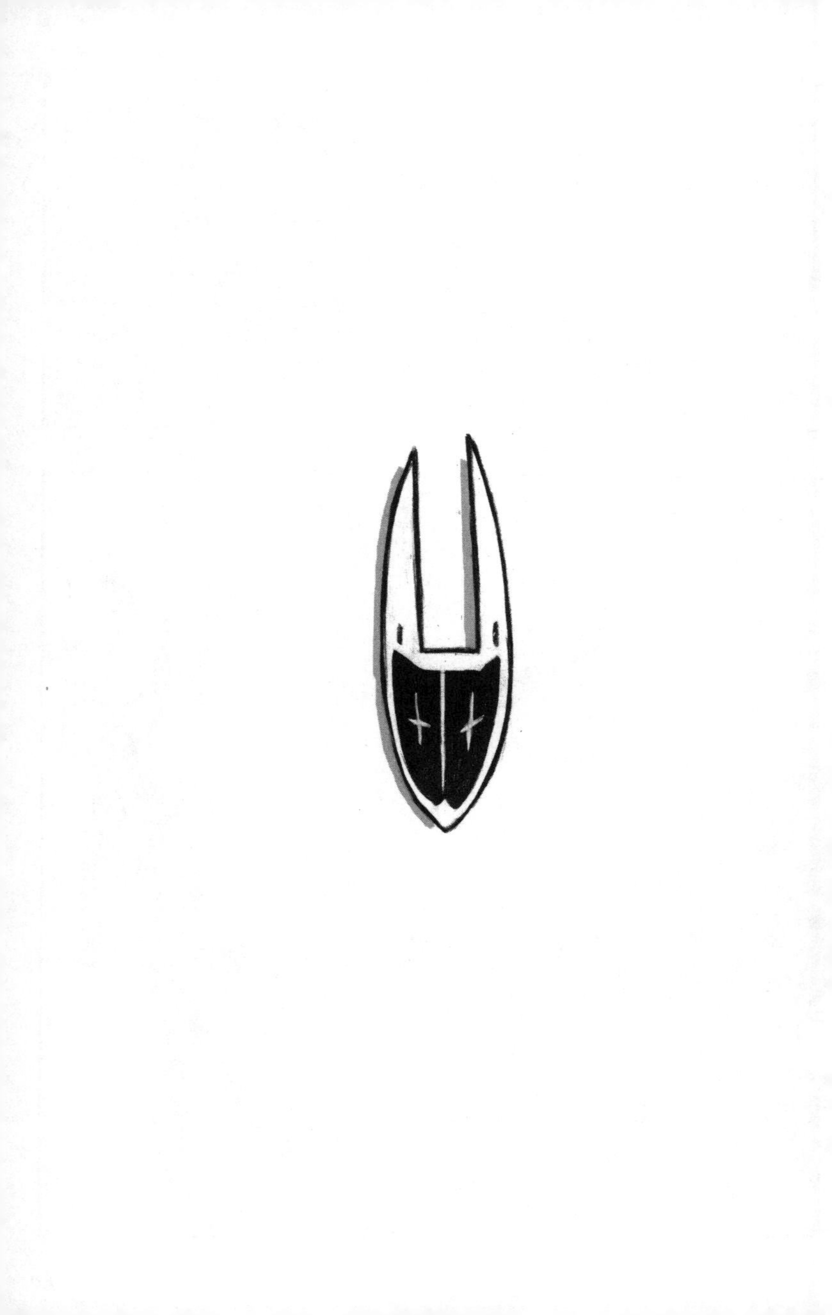

CHAPiTRE 5
HÉROS UN JOUR...

MAMAN, POURQUOI ILS SE RELÈVENT PAS ?
NE REGARDE PAS BABALU, ILS...
... ILS DORMENT
C'EST LA PREMIÈRE FOIS QUE NOUS VIVONS DES ÉVÉNEMENTS AUSSI DRAMATIQUES !
NOTRE TOURNOI A ÉTÉ TERNI !

QUOI QU'IL EN SOIT, CE GAMIN DOIT ÊTRE MIS AUX FERS !
GARDES
SAISISSEZ-LE !
TAP
TAP
TAP
TAP
TAP
FFF
J'AI GAGNÉ CE TOURNOI ONNÊTEMENT !
ET VOILÀ MA RÉCOMPENSE ?

PUISQUE C'EST COMME ÇA...
KRR...
SHHHHH
... ALLEZ TOUS POURRIR EN ENFER !
ZOOoOoOOOO
OOoOoOOOOO

ZZOOOOOO
AAAHH
AAAHH
ARGH
AAAHH
AAAAHH
AAAAHH
AAAHH
ZZZOOOOOO

ZOOOF
AAAAH
AAAAHH
AAAAH
ARGH
AAERGH

MAIS...
... IL EST DEVENU FOU !
C'EST UN VÉRITABLE MASSACRE ...
TAP TAP TAP
TAP TAP
ET C'EST MON ARME QUI EN EST LA CAUSE !
GARDES
QU'EST-CE QUE VOUS ATTENDEZ POUR L'ARRÊTER !?
ON DIRAIT QU'ILS SONT STOPPÉS NET DEVANT LE GAMIN MON ROI !
SHHHH
HA HAHA...
TCHINK

C'EST INCROYABLE...
... LA MILICE EST PARALYSÉE DE PEUR DEVANT CE GOSSE ! MOI-MÊME J'ÉPROUVE UN PROFOND MALAISE !
WCHHHHHHHHH
CE GAMIN EST UN DÉMON !
LA NOIRCEUR QU'IL DÉGAGE EST MONSTRUEUSE...
300, ON PASSE À L'ACTION !
QUE CHACUN PRENNE SES RESPONSABILITÉS !
WSHHHHHHHH
TCHINK
TCHINK
TCHINK
TCHINK

C'EST BIEN D'ATTENDRE SAGEMENT SON TOUR...
TCHINK
TCHINK
TCHINK
TCHINK
SHWH
... Y'EN AURA POUR TOUT LE MONDE !
JE VAIS RASER CETTE VILLE DE PLOUCS !
WOOOFF

BAFF
POC
BOOOM

TCHINK
TCHINK
TCHINK
TCHINK
TCHINK
TCHINK
WCHHHHHHHHHH
TCHINK
TCHINK
TCHINK

PRISON DE BONTA
BONTA BREAK
KARRRARRRAA
KARRRARRRAA
JE NE REGRETTE RIEN !

LES FRÈRES GROUM ME RÉSERVAIENT LE MÊME SORT !
C'EST DE LA LÉGITIME DÉFENSE.

JE COMPRENDS TON POINT DE VUE, MAIS TU T'EN ES PRIS À DES CENTAINES D'INNOCENTS, TU ES ALLÉ BEAUCOUP TROP LOIN.
TRRRRRRRR..
TU PENSES QUE ÇA NE NOUS FAIT RIEN DE TE VOIR EN PRISON ?
KLONG
KLING
FOUTEZ-MOI LA PAIX !
DE VRAIS PARENTS FERAIENT TOUT POUR SORTIR LEUR FILS DE CET ENDROIT !

CHÂTEAU DE CLUSTUS
MON ROI, ÉCOUTEZ-MOI ! J'AI MIS BIEN DES FOIS MA VIE EN PÉRIL POUR VOTRE ROYAUME...
... PARDONNEZ MON FILS QUI EST ENCORE JEUNE !
SCHTIK
NE ME RAPPELLE PAS TES EXPLOITS PASSÉS MON CHER ISSERING, JE LES CONNAIS PAR COEUR !
TU SAIS BIEN QU'ICI...
KRRR
... DANS NOTRE VILLE DE JUSTICE CHACUN EST RESPONSABLE DE SES ACTES !
TON FILS PASSERA PAR LA CASE PRISON ! UN POINT C'EST TOUT !

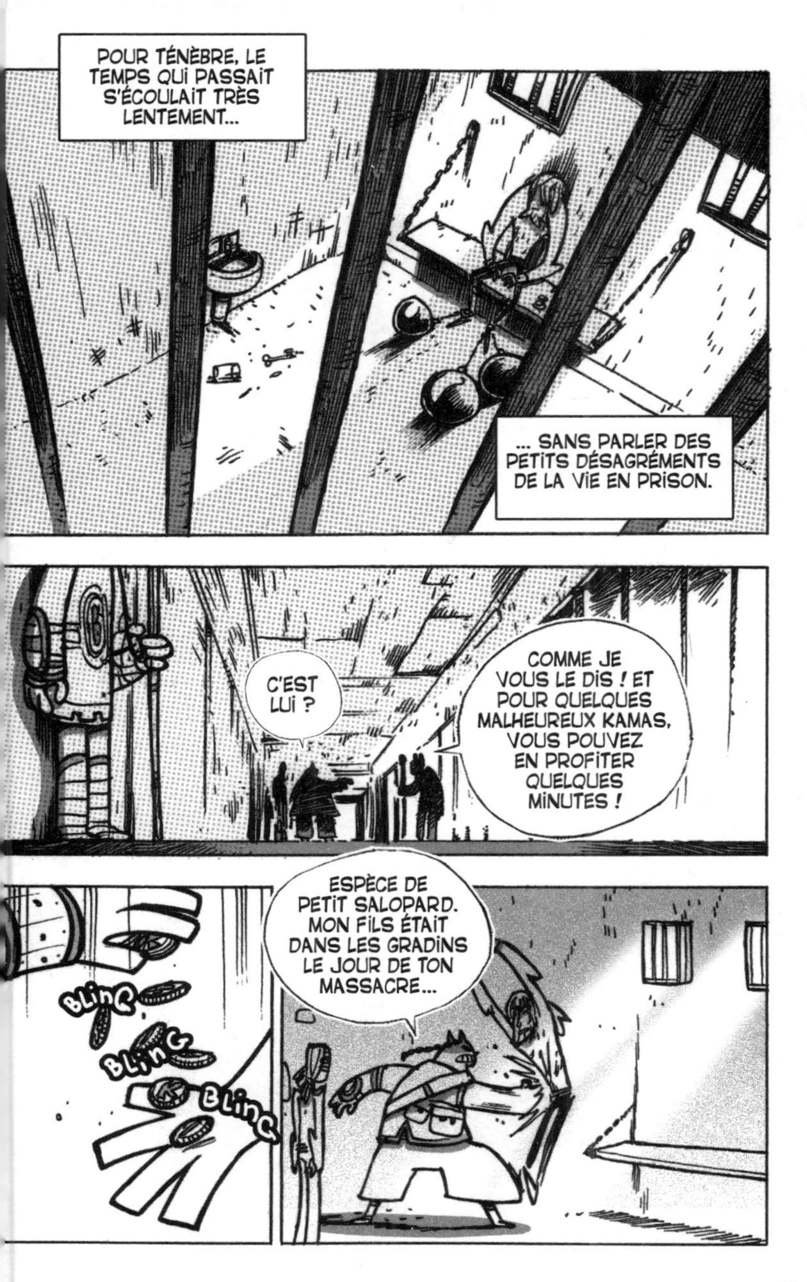
POUR TÉNÈBRE, LE TEMPS QUI PASSAIT S'ÉCOULAIT TRÈS LENTEMENT...
... SANS PARLER DES PETITS DÉSAGRÉMENTS DE LA VIE EN PRISON.
C'EST LUI ?
COMME JE VOUS LE DIS ! ET POUR QUELQUES MALHEUREUX KAMAS, VOUS POUVEZ EN PROFITER QUELQUES MINUTES !
BLING
BLING
BLING
ESPÈCE DE PETIT SALOPARD. MON FILS ÉTAIT DANS LES GRADINS LE JOUR DE TON MASSACRE...

MALHEUREUSEMENT, LES ANNÉES SE SUIVAIENT ET SE RESSEMBLAIENT !
KLING KLING
OH NON... QUE... QU'EST-CE QU'ILS LUI ONT FAIT ?
TÉNÈBRE, MON CHÉRI, PARLE-MOI !
AH, C'EST VOUS... MES CHERS PARENTS ADOPTIFS...
FOUTEZ-LE CAMP D'ICI...
FFSHHHH
QUOI ? MAIS QU'EST-CE QUI TE PREND ?

JE VEUX PLUS VOIR VOS SALES GUEULES DE FAUX-JETONS !
NE REVENEZ PLUS JAMAIS !
ET CROYEZ-MOI, SI UN JOUR JE SORS D'ICI, VOUS SEREZ LES PREMIERS QUE JE TUERAI.
TU NE SAIS PLUS CE QUE TU DIS, FISTON !
JE SAIS QUE LA PRISON TRANSFORME LES GENS...
... MAIS IL NE TE RESTE QUE QUELQUES MOIS À FAIRE... TIENS LE COUP !
VA TE FAIRE FOUTRE AVEC TES GRANDS SERMONS !
CROIS-MOI...
KKRRRR
UN JOUR, JE ME LAVERAI LES MAINS DANS TON SANG !
JE VOUS MAUDIS !

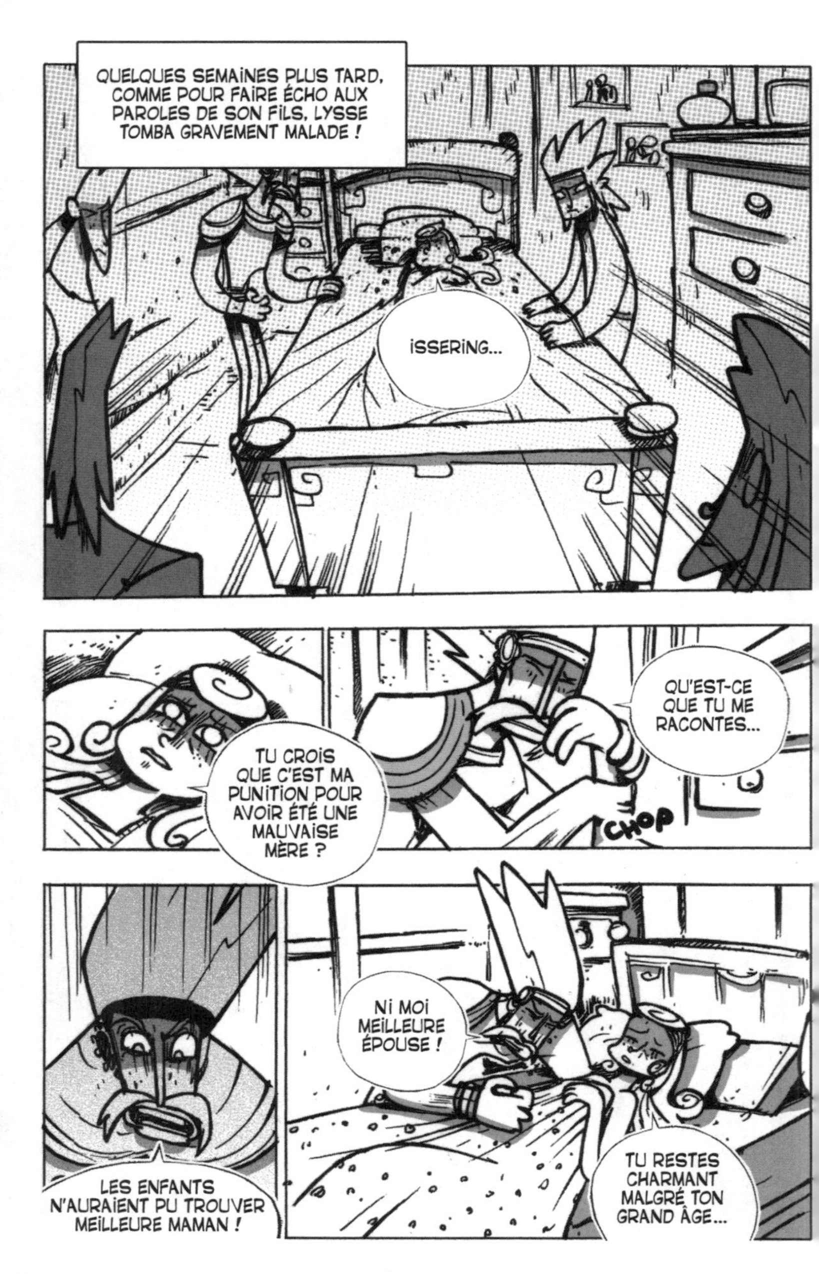
QUELQUES SEMAINES PLUS TARD, COMME POUR FAIRE ÉCHO AUX PAROLES DE SON FILS, LYSSE TOMBA GRAVEMENT MALADE !
ISSERING...
TU CROIS QUE C'EST MA PUNITION POUR AVOIR ÉTÉ UNE MAUVAISE MÈRE ?
QU'EST-CE QUE TU ME RACONTES...
CHOP
LES ENFANTS N'AURAIENT PU TROUVER MEILLEURE MAMAN !
NI MOI MEILLEURE ÉPOUSE !
TU RESTES CHARMANT MALGRÉ TON GRAND ÂGE...

ET TOI MON PETIT BABALU...
FFRRR
ESSAYE DE SUIVRE LES TRACES DE TON PÈRE, C'EST UN GRAND HOMME...
... TRAVAILLE POUR LE BONHEUR DE CHACUN. NE FAIS JAMAIS AUX AUTRES CE QUE TU NE VOUDRAIS PAS QU'ILS TE FASSENT.
JE VOUS AIME...

FFFFHHHHH
LYSSE !!
MAMAN !!

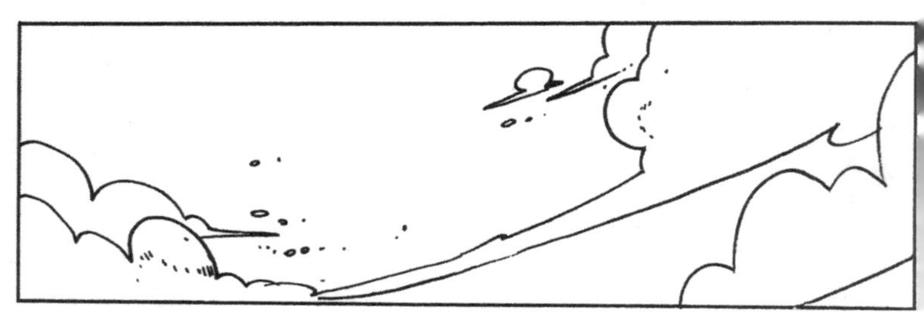

EH BIEN, VOUS EN AVEZ MIS DU TEMPS !
BRRR

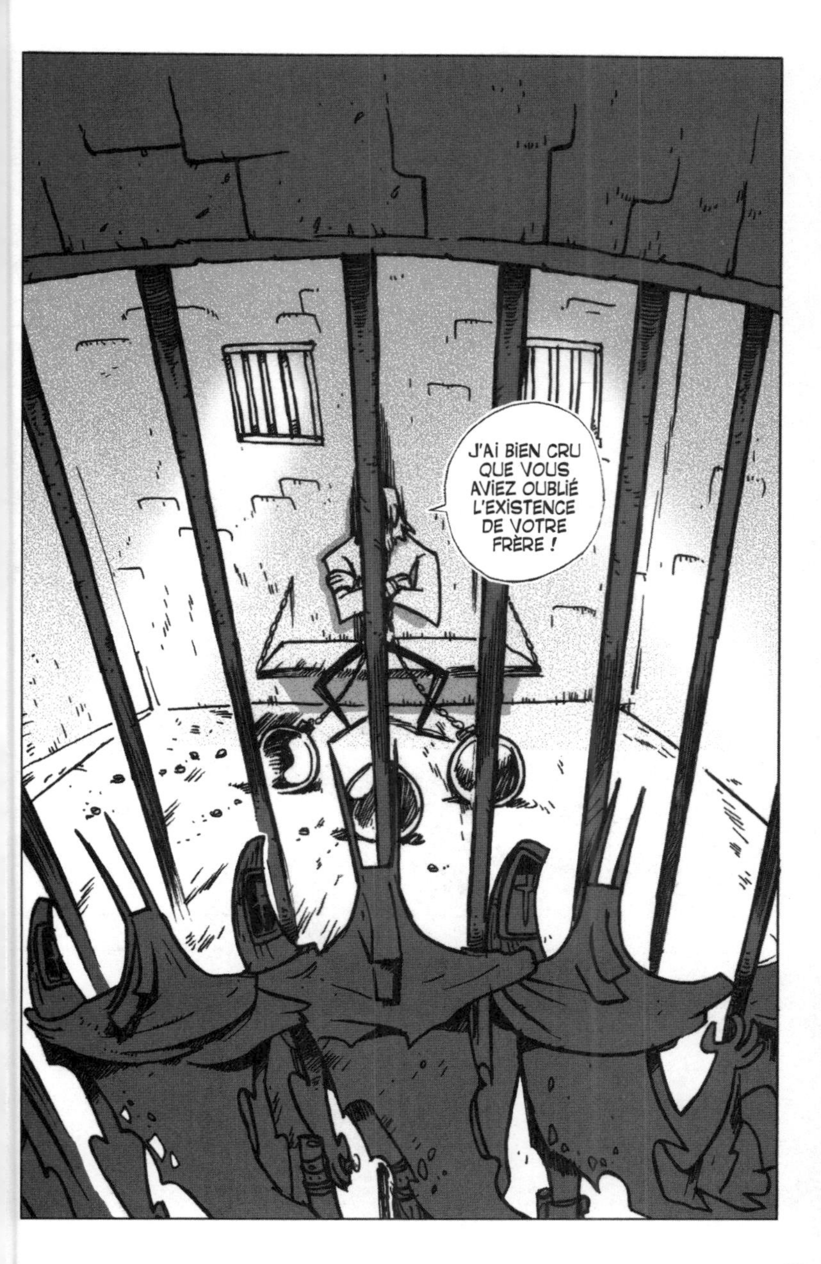
J'AI BIEN CRU QUE VOUS AVIEZ OUBLIÉ L'EXISTENCE DE VOTRE FRÈRE !

QUELQUES MOIS PLUS TARD
FFSHHH...
FLAP...
FLAP...

PCHHHHHH
HONG
HONG
ISSERING !!!
SORS DE TA CAGE VIEUX FOU !
PCHHHHHH
VIENS AFFRONTER TON DESTIN !

TÉNÈBRE, JE SAIS QUE TES INTENTIONS SONT MAUVAISES. JE T'EN PRIE RÉFLÉCHIS À CE QUE TU VAS FAIRE, NOUS SOMMES TA FAMILLE !
WWoooo...
MA FAMILLE ? ON PARLE DE TOI ? L'AVENTURIER QUI A ASSASSINÉ MON VÉRITABLE PÈRE...
CETTE MÊME FAMILLE QUI M'A LAISSÉ POURRIR PLUSIEURS ANNÉES EN PRISON ? ET À QUOI DEVRAIS-JE DONC RÉFLÉCHIR ?
TU AS UTILISÉ TES POUVOIRS SUR DES CENTAINES D'INNOCENTS, TÉNÈBRE, TU AS ATTAQUÉ LA MILICE DU ROI !
TU AS SALI MON NOM...
AH ? FINALEMENT C'EST ÇA QUI TE DÉRANGE VRAIMENT ?
QUOI QU'IL EN SOIT, JE NE VIENS PAS TAILLER LA BAVETTE. JE SUIS VENU RÉCUPÉRER TES ÉQUIPEMENTS "PAPA".
J'AURAIS TRÈS BIEN PU TE LES VOLER MAIS JE MOURRAIS D'ENVIE DE T'AFFRONTER, TOI, LE GRAND HÉROS.

S'IL TE PLAÎT, NE M'OBLIGE PAS À...
À QUOI ?
À ME FAIRE DU MAL ?
WWOOSSHH !

BAFF
BROOK-RLLL
BAM

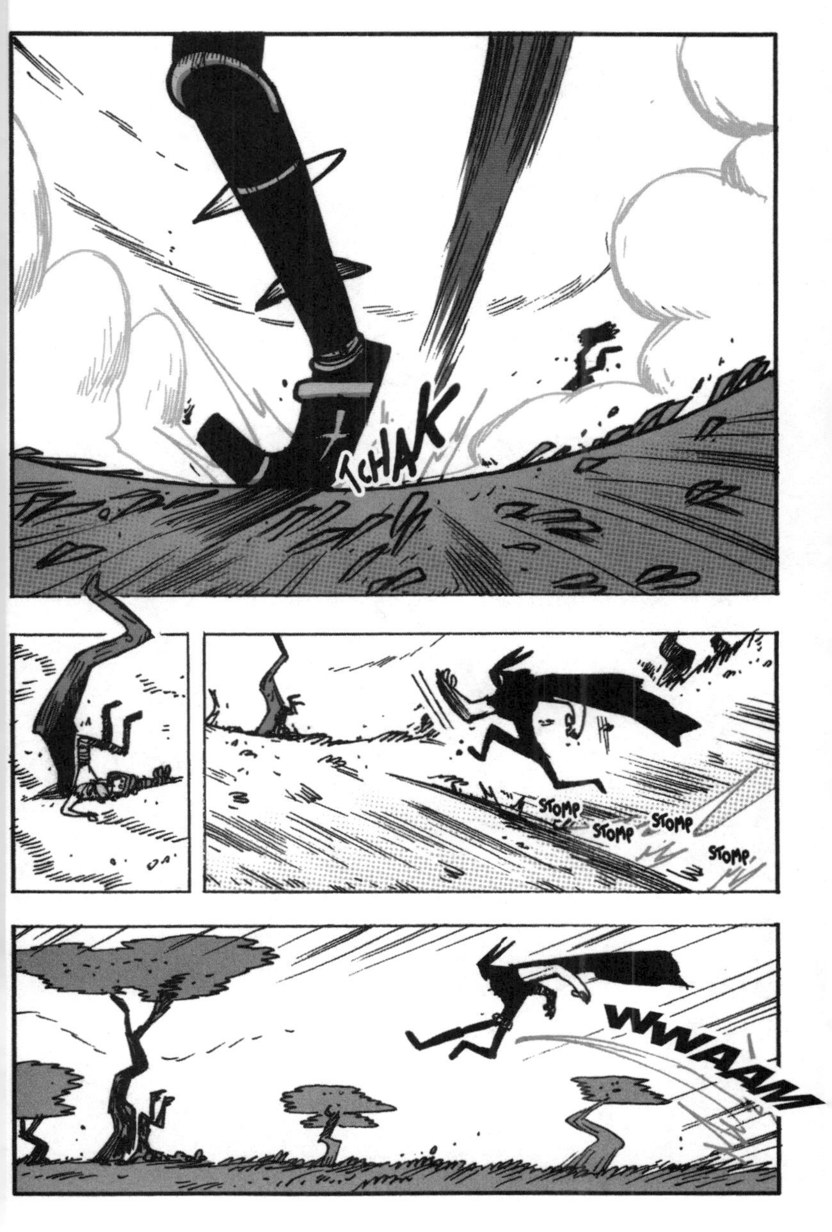
TCHAK
STOMP
STOMP
STOMP
STOMP
WWAAM

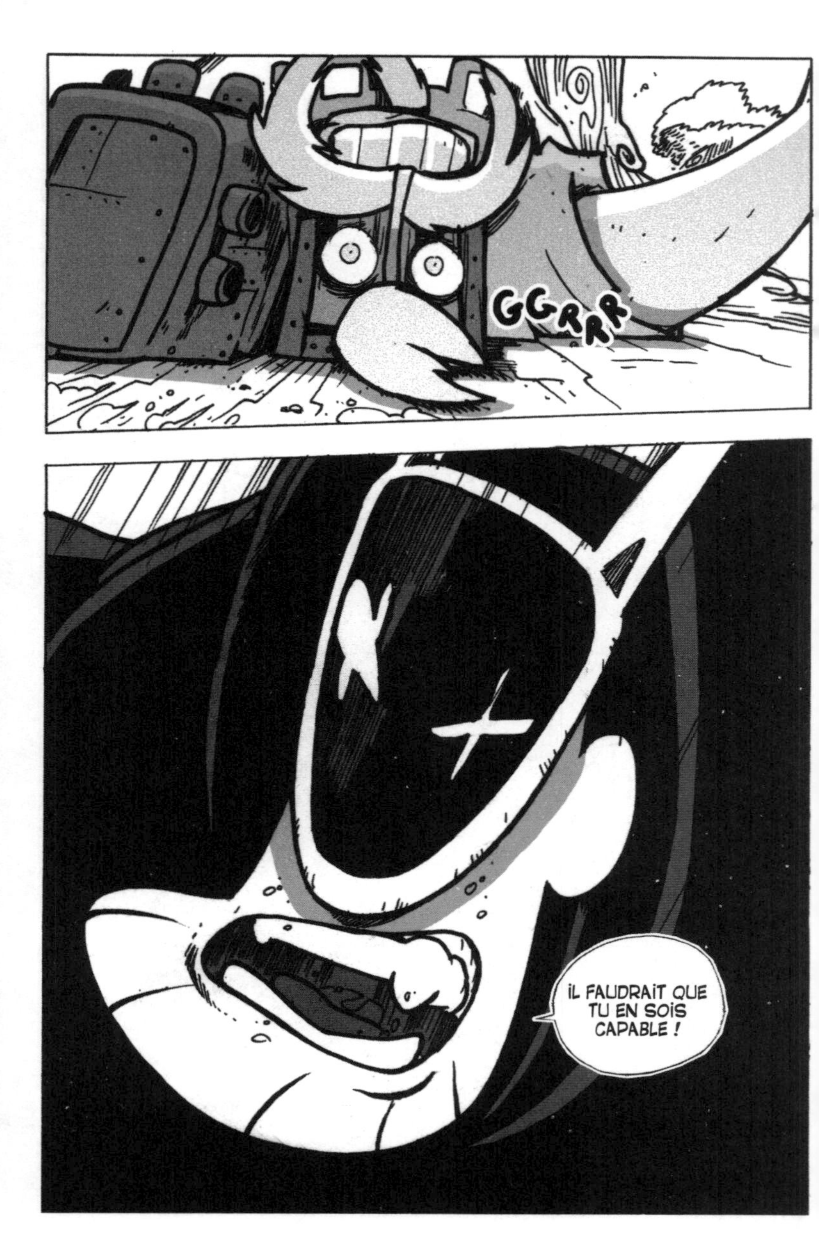
GGRRRR
IL FAUDRAIT QUE TU EN SOIS CAPABLE !

WWooo

BONK
BLAM
Fooooooom

TU...
FSSHH
FFSHH
... TU NE ME LAISSES PAS LE CHOIX !
J'ESPÈRE QUE LÀ OÙ ELLE SE TROUVE, TA PAUVRE MÈRE ME PARDONNERA !
WOOO

ZZZZZZ
SLAC
ZZZZZZ
SLAC

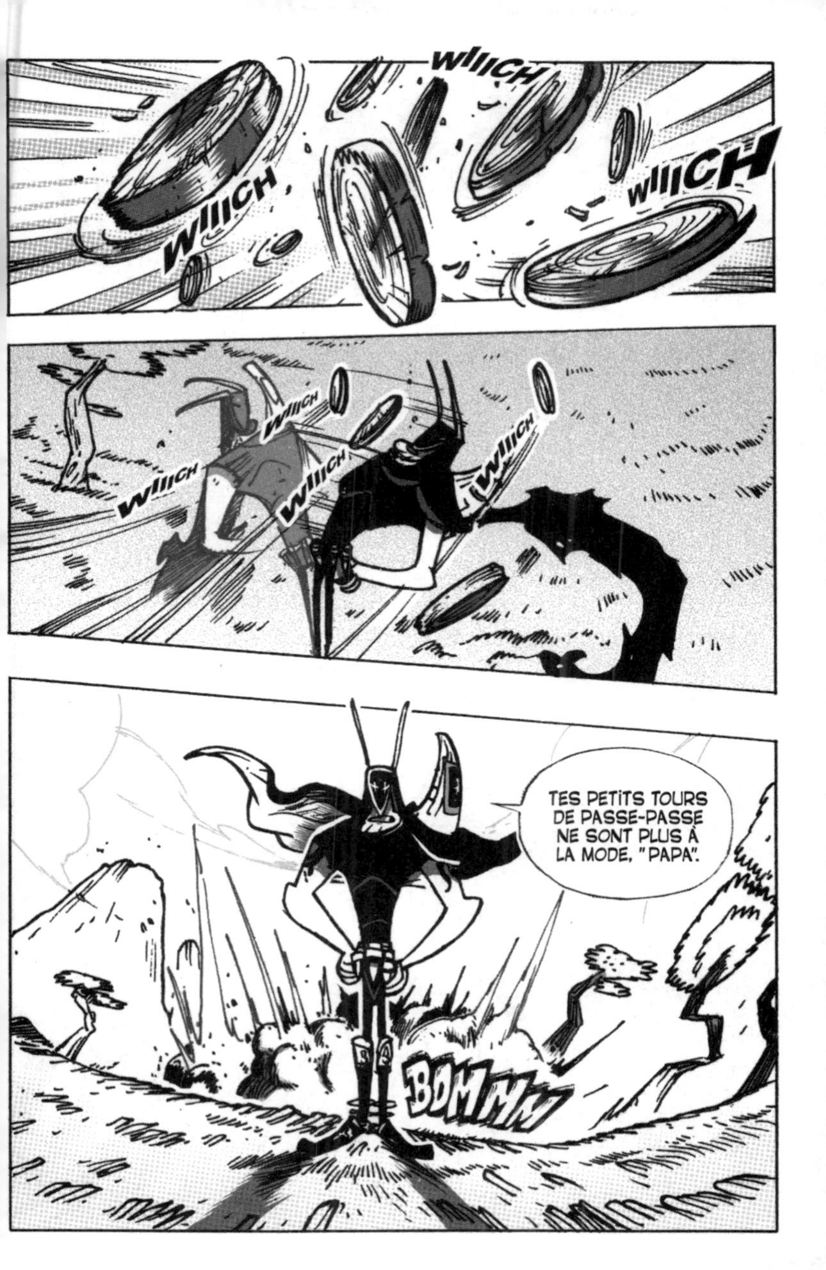
WIIICH
WIIICH
WIIICH
WIIICH
WIIICH
WIIICH
WIIICH
TES PETITS TOURS DE PASSE-PASSE NE SONT PLUS À LA MODE, "PAPA".
BOMMM

WWWOOOMM
CHOP

TAK
CHOP
BUNCH

WOOOSSHH
BLAM

KKKKRRR
CHOP

JE SUIS DÉSOLÉ...

... MAIS TU VAS RETOURNER EN PRISON, TÉNÈBRE.
CHOP
TU ES TROP DANGEREUX ET TROP FOU POUR RESTER LIBRE !
NE SOIS PAS DESOLÉ CHER PÈRE...
KRRRR

... MES FRÈRES NE PERMETTRONT PLUS JAMAIS ÇA !
HOP
TES FRÈRES ?
SHHHHH
WOO
WOOO
WOOO

AAARRGH
WOM

BLAM
BLAM
SHHH
SHHH
SHHH
SHHH

ZZZZ
CLAC

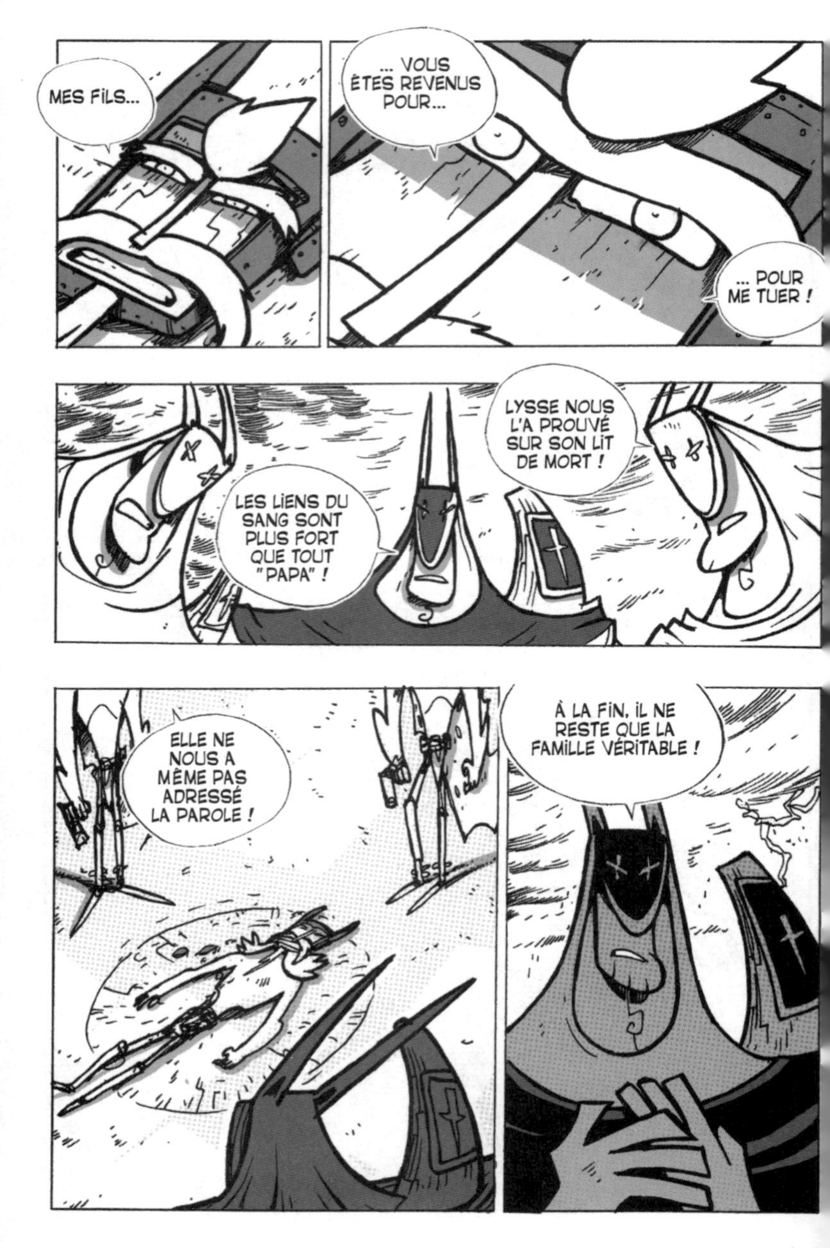
MES FILS...
... VOUS ÊTES REVENUS POUR...
... POUR ME TUER !
LYSSE NOUS L'A PROUVÉ SUR SON LIT DE MORT !
LES LIENS DU SANG SONT PLUS FORT QUE TOUT "PAPA" !
ELLE NE NOUS A MÊME PAS ADRESSÉ LA PAROLE !
À LA FIN, IL NE RESTE QUE LA FAMILLE VÉRITABLE !

AINSI VA LA VIE !
CHHHHHHHHHH

NOUS VOUS AVONS TOUT DONNÉ !

FFFLLL

TU PARLES !
TU T'ES SERVI DE NOUS !
CINQ PAIRES DE BRAS POUR LABOURER TES CHAMPS !
VOILÀ TOUT CE QU'ON ÉTAIT POUR VOUS !
WOOSH
WOOSH
WOOSH

NOOOONN...
RR
RRR
TOUT FINIT TOUJOURS PAR SE PAYER CHER PÈRE !

KRR
TAP
PAF
PUNCH
QU'EST-
CE QUE...
PAPA !
TAP
TAP
TAP

NE FAIS PAS L'IDIOT BABALU !
SHHHH
SHHHH
SHHHH
JE N'EN AVAIS QU'APRÈS ISSERING !
SHHHH
ET NOUS EN AVONS FINI AVEC LUI...

BANDE DE SALOPARDS, QU'EST-CE QUE VOUS LUI AVEZ FAIT ?
FFRRR
IL A TOUJOURS TOUT FAIT POUR VOUS ...
... ET VOILÀ SA RÉCOMPENSE ?
VOUS NE VALEZ PAS MIEUX QUE TOUS LES ASSASSINS QU'IL A COMBATTUS !
SHHHHH
SHHHH

ON AURAIT PU EN RESTER LÀ...
KLAK
DAFF

BLAM
PAPA

SHHHHHHHH
SHHHHHHHHH
HHHHHHHH
KRAKKR
SHHHHHHHH
SHHHHHHH
SHHHHHHHH
SHHHHHHHH
NOUS ALLONS T'ÉPARGNER BABALU !
SHHHHHHHH
SHHHHHHHHH

MAIS JE TE PREVIENS, NE T'AVISE PLUS JAMAIS DE CROISER NOTRE ROUTE !
SHHHHHHHH
SHHHHHHHH

FiN ?

TF
EN RÉFÉRENCE À FULL THROTTLE
DE AD
MY SOUL BURNS LIKE AN ANGRY TOFU.
DE AD
MY SOUL BURNS LIKE AN ANGRY TOFU

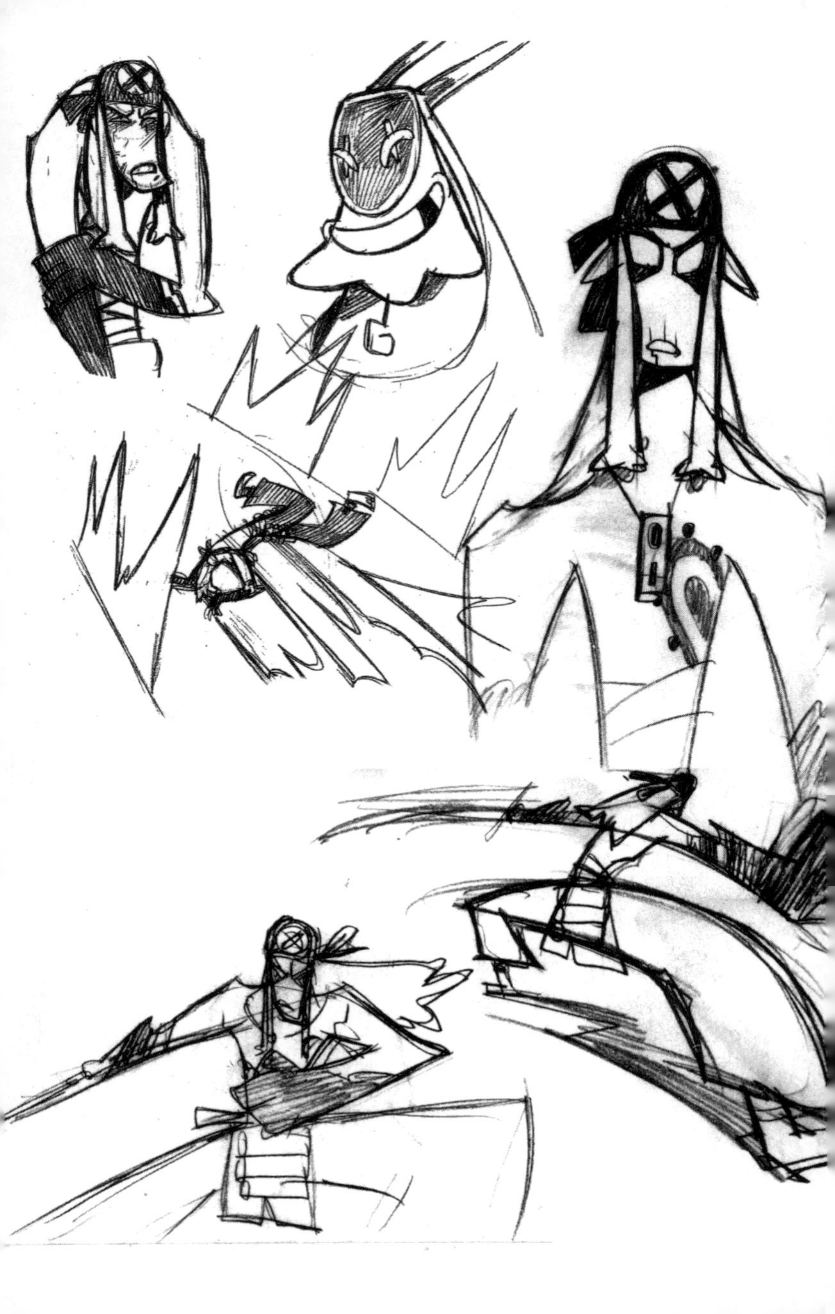

Imprimé par
Hérissey CPI à Evreux

Dépôt légal : mai 2008
Tirage n°5 : mars 2009
ISBN : 978-2-916739-13-7

En application des articles L 122-10 à L 122-12 du code de la propriété intellectuelle, toute reproduction à usage collectif par photocopie, intégralement ou partiellement, du présent ouvrage est interdite sans autorisation du Centre français d'exploitation du droit de copie (CFC, 20, rue des Grands-Augustins, 75006 Paris). Toute autre forme de reproduction, intégrale ou partielle, est également interdite sans autorisation de l'éditeur.

© 2008 Ankama Editions
75, boulevard d'Armentières
BP 60406
59100 Roubaix Cedex 1
Tous droits réservés.